QU'EST-CE QUE JE **FUIS?**

Claire Poulin

QU'EST-CE QUE JE **FUIS?**

Enfin devenir qui je **suis**

Conception de la couverture: Christian Campana
www.christiancampana.com
Illustration de la couverture: iStockphoto

Dépôt légal: 3e trimestre 2014
Bibliothèque et Archives nationales du Québec
Bibliothèque et Archives Canada

ISBN 978-2-89092-657-8
ISBN Epub 978-2-89092-682-0

BÉLIVEAU éditeur 920, rue Jean-Neveu
Longueuil (Québec) Canada J4G 2M1
Tél.: 450 679-1933 Téléc.: 450 679-6648

www.beliveauediteur.com
admin@beliveauediteur.com

Gouvernement du Québec – Programme de crédit d'impôt pour l'édition de livres – Gestion SODEC – www.sodec.gouv.qc.ca.

Nous reconnaissons l'aide financière du gouvernement du Canada par l'entremise du Fonds du livre du Canada pour nos activités d'édition.

IMPRIMÉ AU CANADA

À Gabrielle, Céline et Armand

Et à tous ceux ayant enrichi ma vie
de leurs expériences

Table des matières

INTRODUCTION

« Le privilège d'une vie est d'être qui vous êtes. »

– JOSEPH CAMPBELL

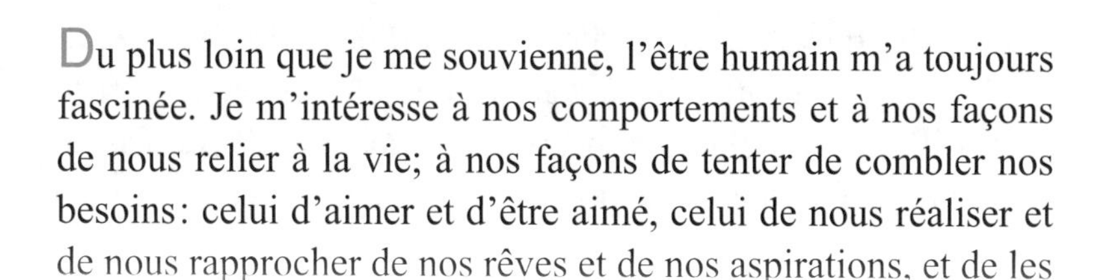

Du plus loin que je me souvienne, l'être humain m'a toujours fascinée. Je m'intéresse à nos comportements et à nos façons de nous relier à la vie; à nos façons de tenter de combler nos besoins : celui d'aimer et d'être aimé, celui de nous réaliser et de nous rapprocher de nos rêves et de nos aspirations, et de les vivre.

Je réfléchis à ce qui fait que nous semblons nous éloigner de nous-mêmes et de notre route quelquefois. Je cherche à comprendre ce qui nous blesse et nous amène dans nos retranchements.

Forte de cet intérêt marqué pour la compréhension de l'être humain et, surtout, des chemins qu'il emprunte pour l'atteinte de son bien-être, j'ai poursuivi des études afin d'être psychologue et ainsi accompagner les personnes dans leur cheminement vers un mieux-être.

J'ai aussi voyagé, toujours fascinée par nos modes de fonctionnement et par nos façons de tendre vers le bonheur. Observer et tenter de ressentir ce que vivent d'autres peuples de cultures différentes de la mienne me remplit d'étonnement et d'admiration.

Et, il va sans dire, j'ai mon propre parcours d'expériences. Des années à vivre et à ressentir mes propres succès, mes propres écueils, me rapprochant ainsi de qui je suis.

Trente-deux ans après l'obtention de mes diplômes universitaires, je travaille toujours en pratique privée dans le cadre de consultations individuelles et de couple. L'être humain me fascine toujours autant et, surtout, je suis toujours habitée par ce désir de le voir en accord avec lui-même, de le voir être et ressentir tout ce qu'il est de ressources, de résilience et d'harmonie.

J'ai le grand privilège d'être témoin de la force et de la résilience d'êtres humains devant des embûches ou des situations difficiles leur faisant parfois vivre une grande souffrance et de grands bouleversements. Je suis souvent touchée. Je les vois retrouver et surtout ressentir et vivre une blessure profonde qu'ils portent depuis longtemps et qui teinte leurs façons de percevoir et de vivre leurs relations, leur vie. Tant de messages perçus les amenant à s'éloigner d'une partie importante d'eux-mêmes!

Je vois des gens être anxieux, apeurés, en colère ou en détresse. Je les vois «se débattre avec eux-mêmes» afin de retrouver un bien-être. Dans cette lutte pour être bien, j'entends leur discours intérieur et les histoires qu'ils se racontent pour mieux saisir ce qui leur arrive. Je les vois travailler tellement fort pour ne pas souffrir! Ce qui les amène irrémédiablement à résister à ce qui est à l'intérieur d'eux-mêmes.

Je vois les traits de leurs visages s'adoucir et se décontracter lors de prises de conscience importantes comme celle de dénouer une impasse affective importante, celle de ressentir la capacité de gérer ce qui se passe en dedans... ce qu'ils vivent. Ressentir simplement l'émotion qui est.

Je suis témoin aussi de leur volonté d'être bien, de comprendre leur processus intérieur, ce qui se passe en dedans; de découvrir leurs ressources et tout leur potentiel d'être, bref, de trouver «leur sens», les «racines de leur vie».

Il y a quinze ans, j'ai écrit un premier livre traitant principalement du discours intérieur que nous développons à partir d'une blessure. Aujourd'hui, je vous présente le deuxième, qui me semble aller plus loin dans la compréhension de la blessure initiale, celle qui est remisée à l'intérieur de nous et qui, souvent, nous influence dans notre présent.

Ce livre traite de cette blessure initiale et de son impact sur notre fonctionnement. Il fait référence à notre besoin de nous relier au monde, au besoin d'attachement. Il présente aussi la description du fort impact de notre perception sur le développement de nos façons de nous relier aux autres et sur le développement de notre estime de soi.

Il se penche principalement sur notre «processus intérieur», ce que nous ressentons en dedans. Il s'attarde à notre façon de nous traiter, de nous parler, de nous raconter des histoires dans le but de mieux vivre. Il fait état de notre façon, tellement humaine, de résister à la souffrance ressentie, de même que de l'impact de cette résistance sur notre bien-être.

Ce livre jette un regard sur des façons de vivre ce processus de manière plus harmonieuse et plus appropriée à l'atteinte d'un mieux-être. En cela, il fait référence au pouvoir que nous avons quant à la gestion de ce que nous ressentons et vivons.

Nous y retrouvons aussi les types de langages intérieurs en nous: nos pensées, nos émotions et nos sensations. De même que les trois étapes faisant partie d'un cheminement et d'une transformation intérieure: la reconnaissance, l'acceptation et l'intégration de ce qui est en nous.

Nous examinons l'importance du moment présent, soit la pleine conscience. Nous regardons aussi les obstacles à notre cheminement, soit ceux de nous projeter dans l'avenir en anticipant, ou de nous tourner vers le passé et le jugement/interprétation.

Ce livre propose des pistes de réflexion nous permettant d'amorcer la découverte de nous-mêmes, tels notre discours intérieur, notre blessure initiale, nos ressources...

Je suis heureuse et émue de vous présenter ce livre. Puisse-t-il vous permettre une meilleure compréhension de ce que vous vivez, mais surtout, surtout, vous permettre de ressentir vos ressources. Vous permettre d'accepter qui vous êtes, autant dans votre vulnérabilité que dans vos forces. Vous permettre de vous approcher de ce qui fait de vous «qui vous êtes», de ce qui donne sens à votre vie et de ce qui vous procure un bonheur d'être. Au plus profond de vous.

Bonne lecture
et bon cheminement!

Première partie

Blessure initiale: développement et impacts à l'intérieur de nous

«Dans l'histoire d'une vie, on n'a jamais
qu'un seul problème à résoudre,
celui qui donne sens à notre existence
et impose un style à nos relations.»

– Boris Cyrulnik,
Le murmure des fantômes

Notre réalité humaine en est une de contacts avec autrui, de relations à soi et aux autres. Dès notre naissance, nous sommes accueillis par des mains, celles du père et de la mère, celles du personnel infirmier. Ce contact et cette chaleur humaine nous sont essentiels pour notre développement affectif. Nous avons besoin de nous sentir entourés et aimés. Nous avons besoin de sentir une constance dans la présence et le comportement des personnes nous prodiguant des soins, bref une constance dans leurs façons de s'occuper de nous.

De ce sentiment d'être aimé, de ce premier lien d'attachement, se développe notre sécurité par rapport à notre environnement et par rapport à nous-mêmes.

Développement du lien d'attachement

John Bowlby, imminent psychologue ayant développé la théorie de l'attachement, relie l'attachement à notre besoin de contacts humains et sociaux. C'est un processus ayant pour objectif la survie de l'espèce en favorisant un rapprochement entre un nourrisson et sa mère.

> « L'attachement est un équilibre entre les comportements d'attachement envers les figures parentales et les comportements d'exploration du milieu[1]. »

C'est un besoin essentiel, et de survie, que de vouloir être en lien avec autrui et avec notre environnement. Une question de survie et de sécurité. Besoin de sécurité physique : le bébé a besoin de sa mère ou d'une personne significative pour lui procurer la nourriture nécessaire. Besoin de sécurité affective : le bébé a besoin de se sentir dans un milieu sécuritaire et protecteur, ce qui va lui permettre de développer lui-même sa propre sécurité intérieure qui l'amènera à l'exploration de son monde. Et il va se sentir plus ou moins en sécurité en fonction des réponses des personnes nourricières quant à la satisfaction de ses besoins physiques et affectifs. L'enfant a besoin de se sentir en sécurité et aimé.

> « L'affection est un besoin tellement vital que lorsqu'on en est privé, on s'attache intensément à tout événement qui fait revenir un brin de vie en nous, quel qu'en soit le prix[2]. »

Si le parent se montre disponible, constant dans ses comportements et ses soins, il sera perçu par l'enfant comme étant une figure d'attachement fiable. À ce moment, une base de sécurité est à même de prendre place et l'enfant, sentant cette sécurité, explorera de façon détendue le monde l'entourant. Aussi, se sentant lui-même aimable, méritant amour et affection, sa confiance en lui se développera.

Si, toutefois, l'attachement ne se fait pas de façon appropriée et est plus ou moins nourrissant pour l'enfant, soit parce que la figure d'attachement n'est pas constante dans sa présence et ses soins, soit par ses façons d'être plus ou moins aimantes, il risquera de se sentir non aimable, indigne d'affection et aura une vision du monde comme étant dangereux, non fiable et non sécuritaire.

> «Si la figure d'attachement est indisponible ou ne répond plus, une détresse psychologique apparaît chez l'enfant[3].»

> «Les menaces pour la sécurité affective de l'enfant plus âgé et de l'adulte surviennent en cas d'absence prolongée, de rupture de communication, d'indisponibilité émotionnelle, ou de signe de rejet ou d'abandon[4].»

Types d'attachement

Il existe différents types d'attachement qui se développent à partir de nos expériences, de nos premiers liens d'attachement étant enfants. Par le biais d'expériences, Mary Ainsworth, psychologue, a conceptualisé les types d'attachement dits de sécurité, anxieux-évitant et anxieux-ambivalent, ces deux derniers s'étant développés à partir d'une insécurité. Ultérieurement, M. Main et J. Solomon ont identifié un quatrième type d'attachement, soit le type désorganisé.

Dans le type d'attachement sécurisant, un sentiment de confiance se développe puisque l'enfant apprend qu'il peut compter sur la personne lui prodiguant des soins et lui donnant de l'affection. Il sait que son besoin est compris et qu'il y a une réponse rapide et adéquate à celui-ci. Il se développe un équilibre entre l'exploration et la recherche de réconfort. Ce type d'attachement favorise le développement d'une saine estime de soi; l'enfant acquiert une sécurité interne. Il fait preuve d'aisance dans ses rapports sociaux.

Ce type d'attachement permet le développement d'un sentiment de sécurité dans les relations amoureuses chez l'adulte. Ayant eu ce type d'attachement, l'adulte est autonome, a confiance en lui et en l'autre, et ses relations sont empreintes de respect.

Dans le type d'attachement «anxieux-évitant», la figure parentale se montre détachée, peu disponible et peu réceptive à la satisfaction des besoins de l'enfant. De ce fait, l'enfant ne peut développer une base de sécurité; il va tenter de cacher sa détresse émotionnelle en adoptant un comportement de détachement vis-à-vis de la situation. Par stratégie de survie, il va adopter une forme d'autonomie et s'intéresser davantage à l'exploration de son milieu. Cela devient une fonction d'adaptation par rapport à un environnement qu'il perçoit comme hostile et où il s'y sent rejeté. Il a de forts risques de développer, comme adulte, une anxiété dans des situations de rapprochement, comme si cela réveillait la crainte d'être rejeté. Il a confiance en lui, mais non en l'autre, et il est plutôt inconfortable dans une relation intime.

Quant au type d'attachement «anxieux-ambivalent», l'enfant n'est jamais trop sûr de la réponse qu'il obtiendra à l'expression d'un besoin et ne sait pas si ce besoin sera comblé de façon satisfaisante. En quelque sorte, le parent est imprévisible et ses comportements difficiles à décoder. La figure d'attachement peut être tout aussi absente que réceptive; l'enfant ne peut être rassuré. Il y a donc incapacité à développer une base sécuritaire. L'enfant est anxieux, il explore peu.

Il adopte une attitude ambivalente par rapport à la recherche de contacts en même temps qu'il les espère, il fait preuve de résistance à ces mêmes contacts. L'enfant, étant accaparé par son besoin d'attachement, a de la difficulté à accéder à une autonomie. Il développe une faible estime de lui-même.

Adulte, il a un besoin quasi constant d'être en lien avec le partenaire amoureux et il a peu d'autonomie. Existe alors une dépendance importante à autrui quant à la reconnaissance de sa valeur.

Il y a le type d'attachement «anxieux-désorganisé»: l'enfant fait preuve d'ambivalence et a des comportements contradictoires, par exemple de vouloir s'approcher tout autant que d'éviter la personne prenant soin de lui. Il ne sait pas quoi faire, car il ne sait trop à quoi s'attendre. Il développe des attitudes inconsistantes. Il ne se sent pas en sécurité et cela en toutes circonstances. Le développement d'une base de sécurité ne peut avoir lieu, ni l'élaboration d'une stratégie d'attachement cohérente, organisée et fiable. Tout autant chez l'adulte que chez l'enfant, une faible estime de soi en résulte.

Nous voyons ici l'importance du premier lien d'attachement, car celui-ci est intériorisé; il s'imprime en quelque sorte à l'intérieur de nous. Il donnera certainement une direction au développement de notre estime de soi. Et en fonction de ce que nous avons ressenti de notre ou nos premiers liens d'attachement, nous exprimons ce que nous nous donnons comme valeur.

Il devient un schème mental pour les relations sociales futures.

Lien d'attachement: fait d'un besoin social primaire, en ce sens qu'il ne découle d'aucun autre besoin; fait d'un contact avec une figure d'attachement qui deviendra une base de sécurité, ou non, pour l'exploration de notre monde. Ce lien d'attachement est la base du développement de notre façon de nous relier aux autres: de façon confiante ou faite d'insécurité, amenant un type d'attachement anxieux-évitant, anxieux-ambivalent, voire désorganisé.

Notre estime de soi et notre perception des autres et de notre monde environnant sont donc en lien étroit et direct avec ce que nous avons vécu, ressenti et perçu lors de notre premier lien d’attachement.

Notre mode d’être en relation est teinté de ce premier lien. Il en découle tout un impact sur comment nous nous laisserons être en relation, comment nous gérerons nos liens affectifs.

PISTES DE RÉFLEXION

Façon d’être en relation

- De quelle façon pourriez-vous décrire votre façon d'être en relation? Êtes-vous méfiant, ne vous laissant pas être facilement en lien étroit? Ou êtes-vous porté à vous investir rapidement? Avez-vous tendance à donner beaucoup et ne pas trop vouloir recevoir? Ou l'inverse?
- Prenez le temps de réfléchir aux liens affectifs que vous développez et prenez conscience de votre façon de vous relier aux autres.

PERCEPTION ET ESTIME DE SOI

C'est donc dire qu'un lien présent, accueillant, chaleureux, ouvert, nous est nécessaire dans le développement de notre sentiment de sécurité. Et que le sentiment d'être aimé est fondamental dans notre développement et est, en quelque sorte, un puissant catalyseur de ce que nous exprimerons de nous et des façons que nous aurons de nous dire.

Alors, pouvons-nous penser que de ce que nous ressentons comme liens affectifs avec nos proches et avec les gens nous entourant découlera notre façon de nous relier à nous-mêmes? Qu'il en découlera notre façon de nous percevoir, de nous traiter, de nous accepter comme nous sommes... ou de nous faire la vie dure en sous-estimant notre valeur?

Car il y a bien ici un lien avec le développement de notre estime de soi. En fait, celle-ci est en lien direct avec les expériences RESSENTIES tout au long de notre vie et principalement lorsque nous sommes enfants parce qu'à ce moment de notre parcours, nous sommes à la base de notre développement.

Nous avons notre bagage à nous, ce qui est inné. Nous avons des prédispositions, des traits de personnalité bien à nous. Le développement de notre estime de soi est relié aux blessures et est aussi invariablement teinté de cet inné en chacun de nous. Si bien que cet inné va influencer notre sensibilité, notre ressenti devant les situations revêtant pour nous une souffrance.

La perception que nous avons de nous-mêmes est en lien étroit avec nos expériences affectives.

Selon notre sensibilité personnelle, notre perception, nous enregistrons à l'intérieur de nous ces expériences de vie qui désormais teinteront, en premier lieu, notre façon de nous voir, de nous valoriser ou non, et notre façon de percevoir notre monde.

Et ces mêmes expériences affectives découlent, elles aussi, de la perception que nous avons eue de relations, de situations et de commentaires entendus. Avons-nous ressenti amour et affection nous ayant permis le développement d'un sentiment de sécurité assez fort pour nous permettre l'exploration de notre environnement en toute confiance? Dans ces circonstances, nous sommes en bonne disposition pour nous sentir à même de faire face, de façon adéquate, à différentes situations de vie.

Ou, à l'opposé, avons-nous ressenti un manque de reconnaissance et d'affection nous donnant l'impression de ne pas être «aimables», de ne pas être à la hauteur des attentes?

Évidemment, il existe toute une gamme possible «d'empreintes» à l'intérieur de soi, empreintes/blessures donnant une couleur, un sens à l'estime que nous avons de nous-mêmes.

PISTES DE RÉFLEXION

Liens d'attachement

- Comment pouvez-vous décrire les expériences et liens affectifs vécus dans votre enfance?
- Avez-vous perçu et ressenti un manque? Avez-vous ressenti ne pas avoir été aimé et entouré de petits soins comme vous en aviez besoin, comme vous auriez aimé?
- Ou avez-vous ressenti amour et reconnaissance? Ressenti et vécu des liens affectifs nourrissants?
- Quelle est la teneur de vos liens d'attachement les plus significatifs pour vous?

Regardons l'expérience de Marie, jeune fille de douze ans. Elle passe le week-end chez ses grands-parents alors que ses parents, frères et sœurs vont pique-niquer à la campagne. Elle ne peut y aller, car elle est très allergique à l'herbe à poux. Marie se sent rejetée et mise de côté par les siens alors qu'elle pourrait aussi en faire l'expérience d'un privilège vu qu'elle a la chance d'être traitée «aux petits oignons» par sa grand-mère.

Nous bâtissons notre estime de soi en fonction de nos perceptions: perception de ce qui se passe autour de nous, perception de l'amour et de l'affection que nous recevons.

De là s'articulera le sens de notre valeur comme personne et aussi ce que j'appelle notre discours intérieur, notre «réseau de télécommunication personnel».

Si nous avons fait l'expérience de beaucoup de bienveillance, d'amour et de sécurité, il y a de fortes chances que ce discours en soit un aussi d'amour et de bienveillance envers nous-mêmes. Nous vivrons certes des expériences affectives difficiles au long de notre parcours. Nous puiserons dans nos ressources afin d'y faire face.

Par contre, ce discours intérieur s'exprimera tout en dureté et en reproches si nous avons inscrit en nous l'empreinte du sentiment de ne pas avoir été aimés, de ne pas avoir été appréciés des personnes significatives pour nous. Et, malheureusement, il prendra forme par des actions à tendance plutôt destructrices pour nous-mêmes, nous empêchant ainsi de nous actualiser et de nous épanouir.

Blessure initiale

Yvonne, trente-cinq ans, adjointe administrative dans le domaine public, possède dix années d'expérience avec des évaluations de rendement tout à fait excellentes. Elle est ravie, car il y a un poste à combler dans sa direction, celui dont elle rêve. Voyons son «discours intérieur»:

> «Qu'est-ce que je suis contente! Et j'y suis éligible! Je prépare ma lettre de présentation et mon curriculum vitae, je demande des références, et c'est fait! Je vais occuper l'emploi que je désire!»

> «Mais peut-être que je ne suis pas assez qualifiée, je ne suis pas sûre que je vais répondre aux exigences. Peut-être que c'est trop pour moi, trop de stress. Ah non, je ne pourrai pas, je ne suis pas capable! Je sais que j'ai de très bonnes évaluations, mais ce n'est pas assez, j'en suis sûre! Je me sens mal tout à coup, j'ai une *vrille dans le ventre.*»

Ce n'est pas assez, je ne suis pas assez: les «pas assez» sont très présents dans notre discours lorsqu'il y a une faille dans l'estime de soi. Une faille qui nous pousse à mettre en doute nos capacités, notre valeur en tant que personne compétente au travail, dans nos relations amoureuses ou sociales. Cela peut même nous amener, et c'est très fréquent, à esquiver, à éviter des situations qui seraient pourtant très bénéfiques dans notre accomplissement de soi.

Le discours qu'Yvonne entretient le démontre bien. De ravie et enchantée devant cette possibilité de promotion, elle devient nerveuse, voire anxieuse, et voit plutôt en elle l'impossibilité de s'accomplir dans cette nouvelle avenue pourtant tant désirée. C'est qu'Yvonne, tout au long de son enfance et de son adolescence a inscrit en elle, à partir de ce qu'elle percevait comme étant de nombreuses demandes d'excellence à son égard, à partir de maintes comparaisons avec sa sœur aînée qui était celle à qui tout réussissait, l'impression de ne pas être à la hauteur, de n'être pas assez. Elle n'a pas ressenti d'appréciation de qui elle était, ce qui a causé en elle une blessure d'injustice.

Son discours est teinté d'une faible estime d'elle-même, estime ayant été bâtie autour de ce que nous appellerons une blessure affective.

Une blessure affective, c'est une empreinte douloureuse que nous remisons à l'intérieur de nous, dans un coffre, pour mieux ne pas ressentir cette douleur, parce qu'elle fait trop mal... pour nous en protéger... pour faire comme si elle n'existait pas.

Différents types de blessures

Il y a plusieurs types de blessures et chacun d'eux a un sens et un impact particuliers sur la façon d'être que nous développons conséquemment. Les principaux types sont les suivants: *blessure d'abandon, d'humiliation, de rejet, de trahison et d'injustice.*

Lors d'une blessure d'abandon, l'absence d'une réceptivité quant à la satisfaction d'un besoin est ressentie, vécue. L'enfant qui a besoin de sécurité, d'être nourri physiquement et affectivement et qui, dans une situation de besoin, n'en reçoit pas, vit un manque, une privation, un sentiment d'abandon.

Une situation où nous nous sommes sentis rabaissés, voire écrasés, devient la marque d'une blessure dite d'humiliation. L'exemple d'un enfant ayant fait un dessin, arrivant en courant dans la salle familiale, dessin en main, tout fier de venir le montrer à sa famille réunie et à ses parents, lesquels se mettent à rire et à faire des commentaires tels que: «Veux-tu bien nous dire ce que tu as fait là? Ça ne ressemble à rien! Tu devras faire mieux la prochaine fois!»

Une blessure de rejet risque de se développer dans une situation où nous nous sommes sentis repoussés, où nous avons ressenti que notre présence n'était pas désirée, où notre présence a été refusée. Par exemple, l'enfant qui veut constamment être avec son grand frère qui, lui, a besoin de se retrouver strictement avec des amis de son âge. Cet enfant peut vivre un rejet, prenant ce refus de son frère comme un refus de qui il est, plutôt qu'un refus d'être avec un plus jeune que lui.

Et si, lorsque nous étions enfants, une personne significative pour nous nous promet, par exemple, de venir nous chercher pour une activité à une heure précise et ne le fait pas, et ce, systématiquement à plusieurs reprises, une blessure de trahison peut se faire sentir. La personne n'est pas fidèle à sa promesse.

Si, dans certaines circonstances, nous ressentons un manque de reconnaissance, un manque d'appréciation de qui nous sommes, de ce que nous faisons et exprimons, alors une blessure dite d'injustice peut prendre place.

Et il est très important de nous rappeler que le développement de ces blessures est en fonction de notre PERCEPTION et que ce qui se vivra comme étant une blessure pour l'un ne le sera pas nécessairement pour l'autre.

Ainsi, le même événement vécu par trois frères dans une circonstance donnée, avec les mêmes référents, est vraisemblablement ressenti et interprété différemment et s'inscrit en chacun d'eux d'une façon particulière à chacun et avec un sens différent.

PISTES DE RÉFLEXION

Blessure initiale, puis-je reconnaître la mienne?

- Dans un moment de détente propice à la réflexion, permettez-vous de laisser monter souvenirs, sensations et émotions reliés à votre histoire de vie.
- Aussi, tentez de déterminer ce qui, de façon systématique, vous fait souffrir. Cela peut avoir un lien avec votre blessure initiale et avoir sensiblement la même teneur sur le plan affectif.
- Permettez-vous de retourner dans le temps: première journée d'école, atmosphère à la maison, moments à l'adolescence... et souvenez-vous que votre blessure est en fonction de ce que vous avez perçu et, en ce sens, n'est pas forcément «la faute de».
- Reconnaître ce que nous portons comme blessure initiale permet un travail subséquent à la libération de la charge émotionnelle de cette blessure et à l'identification de la route parallèle que nous avons adoptée pour nous protéger de cette blessure.

Les blessures façonnent notre estime de soi et influencent donc nos façons d'être en lien avec nous-mêmes, avec les autres et avec les événements. Nous voulons éviter de souffrir.

C'est dérangeant la souffrance, certes pas agréable ni désirable, et c'est très humain de vouloir nous en éloigner. Alors, la plupart du temps et de façon instinctive, nous l'enfouissons à l'intérieur de nous, le plus loin possible, au fond. Vraiment enfouie. Et nous tentons de l'oublier.

Et nous y arrivons d'une certaine façon. Cette blessure affective se fait ressentir de moins en moins, occupés que nous sommes dans nos activités quotidiennes et ayant mis le cap vers d'autres liens affectifs. Et, qui plus est, nous avons travaillé tellement fort à la remiser, cette blessure! Et ce, pour mieux poursuivre notre chemin et nous diriger vers une source d'amour nourrissante pour nous, ou du moins à nos yeux.

Louis. Regardons l'expérience de Louis qui veut tellement être en amour! Il est perçu comme un homme charmant, à la conversation agréable, un homme plein d'entregent et généreux de sa personne. Il s'accomplit autant dans sa profession que dans différentes activités sociales, sportives et culturelles. Il a une vie bien remplie, mais... il ressent un manque affectif important en raison de l'absence d'une conjointe à ses côtés, ce qu'il désire ardemment.

«Comment cela se fait-il que je n'arrive pas à vivre une relation amoureuse satisfaisante? Il me semble que je suis quelqu'un de bien. C'est vrai que, lorsqu'une femme qui me plaît m'approche, je perds mes moyens et je deviens maladroit. Je ne sais plus quoi dire ni quoi faire, je suis tellement mal que je veux juste partir! Je n'arrive pas "à me vendre"!»

Louis semble bien avoir une difficulté à reconnaître sa valeur et ainsi à se percevoir comme une très bonne personne, un homme intéressant pouvant plaire. Dans un contexte amoureux, il est incapable de se laisser être. Son discours intérieur et sa perception de lui-même génèrent un sentiment de défaite et d'abandon quant à sa capacité d'être heureux en couple.

Serait-ce à dire que, inévitablement, nous construisons notre estime de soi en fonction de ce que nous nous accordons comme valeur? Et que l'évaluation que nous faisons de notre valeur s'élabore sur la base de blessures affectives provenant de notre enfance et, souvent, de nos premières expériences relationnelles?

Une perception et une impression de rejet, d'abandon? Ou d'injustice, de trahison et d'humiliation?

Processus créé

Nous avons donc, souvent, sans nous en rendre compte, cette blessure affective au fond de nous qui va, de différentes façons, avoir un impact certain sur notre développement et notre chemin de vie. D'abord, elle provoquera à coup sûr une altération dans notre estime de soi et nous dirigera conséquemment vers des expériences de vie qui auront la même teneur en termes émotionnels que cette blessure. C'est comme si une route parallèle à notre route principale et naturelle se développait, comme si se créait un processus intérieur qui résonnera au son de celle-ci. Il y a tout un réseau d'actions, de comportements et de réflexions qui en découle et qui nous amène à vivre la même sensation et la même émotion que la blessure initiale.

Il est à noter que le développement de cette route parallèle, au moment où elle est développée, est utile, car elle prend soin de la souffrance créée par la blessure. C'est comme si nous développions cette route pour contrecarrer la souffrance et créer une façon d'être et de se comporter qui nous protégera d'avoir mal. Nous faisons de notre mieux, avec les ressources et les connaissances que nous avons à ce moment.

Ce processus créé est construit sur la perception d'un danger affectif À CE MOMENT.

Sauf qu'il devient une partie de nous et sera désormais à l'œuvre dans notre vie. En cela, nous sommes résilients, car nous avons le réflexe de nous adapter à ce que nous ressentons et percevons comme danger potentiel, ce danger étant souvent la peur de perdre une source importante et significative d'affection.

❧ ❧

Michelle, vingt-cinq ans, vient en consultation parce qu'elle n'en peut plus, me dit-elle, de vivre de l'anxiété et ce stress intense lorsqu'on lui demande de s'exprimer ou de prendre une décision. Elle vit tout un désarroi à ce moment.

> «Je fige, je ne sais plus quoi dire, je me mets à trembler, j'aimerais être six pieds sous terre! Je suis tellement mal! Je déteste être le point de mire. Et je n'arrive pas à me décider quant à ma carrière et au travail que je veux faire. Je pense aimer travailler avec les gens, avec le public, mais je suis incapable de prendre ma place... Est-ce que c'est parce que, dans le fond, je n'aime pas vraiment ça, ou parce que je suis trop gênée et mal dans ma peau?»

Au fil de son travail en psychothérapie, Michelle va dans «son coffre» et constate, à son grand étonnement, une grande anxiété et une grande tristesse au souvenir de ce qu'elle a vécu et ressenti lors du divorce de ses parents. Elle prend conscience de la similarité de son expérience affective à ce moment-là et maintenant lorsqu'elle a des choix de vie à faire ou lorsqu'on lui demande de prendre position. Toute une révélation et toute une expérience pour elle! Il y a là une résonance émotionnelle.

Voyons ce qu'elle a vécu. Elle avait douze ans lors du divorce de ses parents, divorce difficile et déchirant. Ses parents, chacun de leur côté, lui confiaient leurs états d'âme et, surtout, lui demandaient de prendre position. Tout un stress et un poids pour elle! Et quelle responsabilité elle ressentait! En même temps qu'elle perdait ses ancrages et ses repères significatifs, soit une cellule familiale sécuritaire et aimante, on lui demandait l'impossible, soit, en quelque sorte, de favoriser un de ses parents au détriment de l'autre. Elle a vécu un conflit de loyauté.

Cette demande de chacun de ses parents a créé chez elle un désarroi affectif qui, sans qu'elle en soit consciente jusqu'au moment de sa démarche en thérapie, se revivait dans des situations ayant un enjeu similaire, soit de faire un choix important et engageant pour elle dans sa vie. Et cela l'a amenée aussi à développer ce malaise dans l'expression et l'affirmation d'elle-même; c'est dans cette sphère que son estime de soi a été touchée.

Nous voyons dans l'expérience de Michelle une répétition de cette blessure significative dans des situations ultérieures qui ont une résonance émotionnelle similaire à la blessure initiale. C'est comme s'il y avait une cristallisation de cette souffrance à l'intérieur d'elle et des expériences émotionnelles semblables qui s'y greffent, un peu à l'exemple de planètes gravitant autour du soleil. Une constellation émotionnelle ayant un sens commun: la perception et le ressenti d'une blessure.

Cette blessure est propre au vécu de chacun de nous, car elle dépend de notre perception et que ce qui provoque cette impression chez l'un ne le fera pas chez l'autre vivant le même genre d'expérience.

Tout est dans la perception et, en cela, est propre à chacun de nous. Et l'interprétation que nous en faisons est tout aussi importante sinon plus, car c'est à ce moment que nous donnons un sens à notre expérience.

Tout est dans la perception et l'interprétation du regard de l'autre sur soi.

Ce processus intérieur, créé antérieurement, nous éloigne souvent de nous, du moins d'une partie de nous. Il est basé non pas sur nos ressources, mais bien sur une blessure. Blessure ajoutant une façon d'être à ce que nous sommes déjà; blessure ajoutant des comportements ayant comme fondement le besoin d'un rempart contre celle-ci, d'une protection. Comportement qui, chaque fois que nous ressentons le même genre de «danger», se met en place comme un bataillon appelé en renfort pour «lutter contre l'ennemi». Pas question de ressentir cette souffrance!

Se protéger... pour ne pas souffrir... pour ne pas ressentir, tapie au fond de nous, cette blessure.

Créer une route intérieure qui est très éloignée de cette blessure qui, pourtant, se développe à partir d'elle.

«C'est que je ne veux pas avoir mal, moi! Alors, dites-moi, comment je fais pour m'en débarrasser? Je ne veux plus avoir mal!»

Tout à fait humain de ne pas vouloir souffrir, de vouloir extraire de nous ce qui nous fait mal ou qui nous rend la vie misérable. Mais pouvons-nous retirer de nous, d'un simple désir, une partie de nous-mêmes? Partie qui, de plus, y est depuis probablement plusieurs années. Et qui a même sa propre logistique intérieure, avec des mécanismes de protection et un discours intérieur propre. Qui nous amène également, très souvent, vers le même genre de situations ayant créé cette blessure initiale.

Cela peut nous paraître étrange de nous diriger vers le même genre de situations nous heurtant à maintes reprises.

«Mais voyons, je ne veux pas avoir mal, cela n'a pas de sens que je reste là-dedans!»

Effectivement, cela semble ne pas avoir de sens. Mais il y en a un, très important, et ayant un impact majeur dans notre «processus intérieur». Ce n'est pas pour rien que cette blessure s'est installée. Il a fallu, quelque part, ressentir une souffrance importante, un MANQUE, une impression de rejet ou d'abandon. Il y a quelque chose en nous qui se trouve ainsi NON COMBLÉ. Alors, nous cherchons à combler ce manque plus ou moins consciemment. Nous avons besoin de résoudre cette «impasse affective».

Le problème, c'est que nous cherchons à combler ce vide avec, si nous pouvons le nommer ainsi, le processus intérieur inconscient créé au cœur de soi. Nous sentons le besoin de recréer cette blessure, cette situation de manque, mais cette fois-ci en désirant combler ce vide. Dès lors, instinctivement, nous allons vers une situation ressemblant, en langage affectif, à la première qui nous a blessés et a laissé une sensation de manque. Et, cette fois-ci, on espère bien que le vide sera comblé. C'est ce que nous voulons. Sauf que, ce faisant, nous nous mettons à risque de revivre sensiblement la même blessure puisque nous recréons, dans le fond, la même situation non nourrissante. Nous nous engageons donc dans le processus de revivre cette même blessure, avec le même résultat (ou risque), soit une sensation et une impression de rejet, d'abandon... de ne pas sentir l'amour dont nous avons besoin.

Il faut dire aussi que nous connaissons ce chemin-là, même s'il est douloureux, car c'est ce que nous avons appris, c'est ce qui s'est imprimé à l'intérieur de nous, dans des circonstances données. D'une certaine façon, c'est rassurant. Nous savons comment faire face à l'ennemi!

Nous avons le réflexe de remiser cette «nouvelle blessure» dans notre coffre et de bien le refermer. Peut-être à double tour, peut-être avec un cadenas cette fois-ci. Et, ce faisant, nous nous éloignons d'une partie de nous-mêmes qui, pourtant, aurait bien besoin de soins et d'attention de notre part. Nous tentons d'ignorer ce manque affectif qui nécessiterait d'être comblé. Nous retournons vers notre discours intérieur teinté de ce manque, vers notre histoire créée à partir de ce manque, de cette blessure. Et, de l'ampleur de la blessure dépend notre estime de soi.

À partir de cette blessure et de la valeur que nous nous attribuons, nous nous construisons toute une trame intérieure, des histoires que nous nous racontons.

Discours intérieur et développement des histoires

Des histoires nous habitant et nous amenant sur des routes de traverses, des routes secondaires, plutôt que sur notre route principale, celle qui serait nourrissante pour nous. Des histoires qui nous diront jusqu'à quel point nous ne sommes pas assez – pas assez intelligent, pas assez bon, pas assez beau –, des histoires qui ont souvent une valeur dépréciative de ce que nous sommes.

Ces histoires qui vont colorer plusieurs de nos actions et qui nous dirigeront la plupart du temps vers le même constat que lors de la blessure initiale, soit «nous ne sommes pas aimables, nous ne pouvons être aimés, car nous n'avons pas beaucoup de valeur», un discours intérieur dévalorisant.

Lorsqu'il y a doute et insécurité à l'intérieur de nous, nos histoires prennent toute la place et occupent notre pensée, notre mental. Et leur présence, leur intensité, leur durée et leur fréquence varient en fonction de l'intensité de cette insécurité et de l'estime que nous avons de nous-mêmes.

S'il y a présence d'une grande insécurité en nous, le discours intérieur, dans notre tête, est très actif et probablement sous forme de questions auxquelles nous tentons de répondre. Une série de questions générant du stress, voire de l'anxiété.

Ce faisant, nous devenons encore plus inquiets et contribuons à maintenir une impression de vulnérabilité et d'incapacité à faire face à la situation pour laquelle nous nous mettons dans cet état. L'image du hamster qui n'arrête pas de courir dans sa roue est représentative de cet état d'être et du stress que cela engendre. Un climat intérieur qui essouffle! Qui prend toute la place! Qui nous épuise et nous éloigne de nous-mêmes, de notre équilibre!

Et si notre estime de soi résulte de blessures affectives importantes, notre façon de nous traiter sans égard à nous-mêmes prendra beaucoup de place, voire toute la place.

PISTES DE RÉFLEXION

Discours intérieur et histoires

- Quel est votre discours intérieur?
- Est-il plein de bienveillance à votre égard, avec un regard réaliste sur qui vous êtes et sur ce que vous vivez?
- Est-il empreint de dureté et d'exigences envers vous-mêmes?
- Devant une difficulté dans une tâche ou en présence d'un conflit relationnel, dites-vous: «Je ne suis bon à rien, je ne serai jamais capable de l'accomplir» ou «C'est ma faute, j'aurais dû...» ou encore «Ils ne me comprennent pas, comme d'habitude...»
- Quel est le gain obtenu avec ces histoires que vous vous racontez?
- Votre discours intérieur renforce-t-il la valeur que vous vous donnez?
- Voyez ce que vous tenez comme discours intérieur et ce que vous avez élaboré comme histoires et cherchez à quelle perception de vous-même ils correspondent.
- Les histoires qui me caractérisent... quelles sont-elles?
- Celles que je me raconte pour me convaincre d'une façon d'être ou d'une façon d'agir?

Le processus intérieur créé continue à nourrir ce cycle: nous vivons notre vie, nous travaillons, nous sommes en relation, nous nous impliquons dans des activités diverses. Des sphères de notre vie sont comblées, d'autres peut-être moins.

Nous avons le sentiment que tout va bien, que tout est pour le mieux. Et... une situation fait «remonter» un effluve de ce manque... Le coffre s'ouvre suffisamment pour que nous le ressentions et, selon l'événement vécu, nous en serons affectés avec plus ou moins d'intensité. Si l'intensité est grande, c'est alors que la «lutte intérieure» pourra se mettre en place: nous ressentons le manque, nous avons mal, nous voulons le fuir. Nous nous «assoyons» en mettant le plus de force possible sur notre coffre pour bien le refermer. Nous voulons retrouver notre quiétude intérieure, notre bien-être. Ouf! Nous l'avons échappé belle! Jusqu'à la prochaine fois et ainsi de suite.

Nous voyons ici l'existence d'un aller-retour entre le processus créé et l'apparition des sensations et des émotions reliées à la blessure. Un aller-retour entre nos histoires qui sont bien en haut dans notre tête, notre tour de contrôle, et notre blessure, tapie tout au fond de nous, blessure que nous voulons bien protégée.

Nous pouvons nous sentir complètement démunis devant ce mal, en dedans. Devant cette sensation de vide. Nous ne voulons pas «ressentir ça»! Parce que c'est douloureux, parce que c'est incompréhensible, parce que c'est menaçant.

Blessure initiale, histoires et discours intérieurs que nous développons en lien avec celle-ci, valeur que nous nous donnons, la partie de nous reléguée aux «oubliettes», la lutte à l'intérieur de nous, la zone de peur...

Qu'en est-il du processus entre les deux, entre la blessure et la tête? Nous voilà dans une lutte intestine, une lutte où, comme dans un passage obligé, se retrouve une zone de peurs: la peur de ressentir une douleur, la peur de ressentir on ne sait trop quoi au juste, la peur de l'inconnu, la peur de perdre le contrôle.

Un peu comme si nous faisions face à une vague déferlante, seuls dans notre embarcation, et que nous n'étions pas certains d'avoir l'équipement nécessaire pour y faire face. Avec l'impression que cette vague va nous engloutir!

DEUXIÈME PARTIE

Expériences de vie

« La souffrance cesse de faire mal
au moment où elle prend sa signification. »

– VICTOR FRANKL

« Pourquoi gémis-tu sans cesse, ô mon âme?
Réponds-moi. D'où vient ce poids de tristesse
qui pèse aujourd'hui sur toi? »

– ALPHONSE DE LAMARTINE

Nous voyons l'importance de ressentir un lien d'attachement sécurisant et aimant; un besoin affectif non comblé peut amener le développement d'une blessure et de tout un processus qui y est relié.

Comment cela se vit-il à l'intérieur de nous? Voyons, par le biais des expériences de vie de Normand, Joanne, Georges et Doris, comment leur parcours a été teinté de cette blessure initiale.

Normand

Normand, quarante-quatre ans, est comblé à tous points de vue, me dit-il. Une très belle carrière, marié depuis vingt ans à la femme de sa vie, deux beaux enfants. Il est actif dans sa communauté en faisant du bénévolat et il pratique différents sports. Il a plusieurs relations amicales qui le satisfont et des projets plein la tête. «Je n'ai pas assez de temps pour tout faire tellement j'ai d'intérêts!» dit-il. Il décrit son motif de consultation en ces termes:

> «Je ressens souvent comme un poids en dedans. Malgré tout ce que je fais, je suis rarement satisfait et heureux et je ne comprends pas comment cela se fait. Je me donne tellement, je mords dans la vie à pleines dents! Mais j'ai l'impression de me porter sur mon propre dos! Je deviens,

par bouts, tellement épuisé et déprimé. J'ai même pensé que de passer de l'autre bord ce serait mieux!»

Jusqu'à maintenant, il me dit redoubler d'activité lorsqu'il se sent «couler». Il me dit aussi prendre beaucoup de temps à essayer de comprendre et d'analyser ce qu'il vit.

«Cela ne marche pas! Plus j'analyse et plus j'essaie d'avoir le contrôle, plus je deviens perdu et mêlé!»

Comme un petit garçon égaré dans un centre commercial et qui ne retrouve plus ses parents.

«J'essaie vraiment de comprendre ce qui se passe en dedans de moi. Ma tête n'arrête pas une minute! J'ai trois beaux petits hamsters qui roulent tout le temps! Mais ils ne me donnent pas la réponse. Des fois, je ne sais plus trop qui je suis ni ce que je veux. On dirait que plus je pense et plus je m'acharne à comprendre, pire c'est. Je me sens mal et anxieux.»

La tête, cette tour de contrôle par excellence, nous en avons besoin à beaucoup d'égards, car les capacités de jugement, de discernement, d'analyse, de synthèse permettent une capacité d'adaptation en lien avec ce que nous vivons. Lorsqu'il s'agit d'appréhender notre processus intérieur, de prendre conscience et de saisir ce que nous vivons, les pensées, surtout en rafale et en continu, nous amènent plutôt à vivre une tension pouvant même aller jusqu'à l'anxiété. C'est ce que Normand exprime lorsqu'il parle de devenir perdu, de se sentir mal et anxieux. Comme si la tête ne suffisait pas à la demande!

«Quand ma tête n'arrête plus, j'ai l'impression de devenir fou. Je me sens devenir de plus en plus nerveux, tendu et je commence à avoir une peur en dedans. J'ai peur et ce que je ressens est encore pire. Comme si je sentais qu'il y a quelque chose au fond de moi que je ne connais pas, que je ne contrôle pas. J'ai l'impression qu'une tempête se lève à l'intérieur de moi, avec de grands vents et un ciel sombre et menaçant. J'ai peur! Qu'est-ce que je fais? Je suis coincé! »

Coincé entre la force de ses pensées voulant tout contrôler, et la force de sa peur voulant tout envahir... et ce qu'il «pressent», tout au fond de lui et qui lui est inconnu.

«Je veux être bien! Quand est-ce que je le serai? Là, j'ai l'impression d'être en territoire occupé, d'avoir une zone sinistrée à l'intérieur. Une zone de guerre remplie de fumée, de mines émotives, et que je peux sauter à tout moment! J'ai l'impression de ne plus m'habiter! »

Normand exprime exactement le mal-être présent dans cette lutte: un sentiment de ne plus être bien dans sa peau, d'être envahi dans une bonne partie de son être, voire d'être touché «du plancher jusqu'au plafond», soit dans ses racines, dans ses émotions et dans ses pensées.

Il tente tant bien que mal de mettre fin à ce malaise, à cette lutte entre deux forces, principalement en «utilisant sa tête». Cela ne marche pas et ne fait que le rendre plus confus par rapport à ce qu'il vit. À ce moment, le malaise s'intensifie, la peur s'installe. En même temps que le besoin de lutter encore plus fortement pour venir à bout une fois pour toutes de ce malaise profond. Alors, il essaie de reprendre le contrôle, il essaie avec «son rationnel», avec ses pensées... dans sa tête. Il tente de comprendre et de mâter ce qui fait mal et qui occupe la place.

Pour un temps, cela fonctionne, mais la blessure n'étant pas «réglée», elle se fera sentir à nouveau lorsqu'il vivra une expérience de vie similaire. Et le malaise se réinstallera avec le même processus : essayer de comprendre et de contrôler, sans trop de succès, se débattre en dedans, en fait, pour ne pas avoir à faire face à ce qui fait mal. Un cercle vicieux. Plus ou moins intense.

PISTES DE RÉFLEXION

Lutte et résistance

- Que ressentez-vous? Quels malaises vous habitent? Maux de dos, irritabilité, anxiété... Ils sont très souvent indicateurs d'une lutte et d'une résistance à l'intérieur de vous.
- Lorsque vous vous sentez aux prises avec un mal-être, quelles sont vos façons d'y résister, de tenter de ne pas le ressentir?
- En êtes-vous conscient?
- Que faites-vous, en dedans?
- Qu'est-ce que vous refusez de ressentir, de quoi avez-vous peur?

JOANNE

Joanne, cinquante ans. «Brûlée par la vie». Une vie bien remplie et qu'elle aime. Un mari, des enfants et un travail exigeant où elle se donne beaucoup. Elle me dit que tout allait bien, puis son mari est tombé malade et elle a pris soin de lui tout en continuant à travailler.

> «Mes journées étaient bien remplies. Entre le travail et mon mari malade, je n'avais pas beaucoup de temps pour moi. J'avoue que je commençais à être un peu fatiguée. Triste et inquiète pour mon mari aussi. Je me débrouillais quand même assez bien.»

Jusqu'à l'année passée, année où sa vie a basculé. Année où «le gars d'en haut» est venu chercher une partie de ses racines: d'abord sa mère, puis sa sœur, ensuite un ami très proche et son père. Et ce, en l'espace d'une année et demie. Puis s'est ajouté le divorce.

> «Je viens vous voir parce que je suis *au bout du rouleau.* Je suis très fatiguée et n'ai plus la force de faire quoi que ce soit. J'ai l'impression de n'avoir qu'un filet d'énergie. Et j'ai tellement de peine! J'ai perdu mes racines, je suis orpheline. Je ne sais même plus quel deuil je suis en train de vivre!»

Oui, la vie l'a ébranlée. En même temps qu'elle avait à faire face à toutes ces pertes, elle était en perte d'énergie, en difficulté de s'occuper d'elle-même parce que déjà en état d'épuisement.

Nous voyons ici une situation où plusieurs événements difficiles arrivent à peu près en même temps. Il y a d'abord un besoin de prendre soin de ce qui est là, l'état physique et mental de Joanne. Elle a des deuils à vivre et à résoudre et a besoin de récupérer son énergie vitale. Au cours de ce processus psychothérapeutique, elle a senti un débat à l'intérieur d'elle-même concernant sa propre vie. Ébranlée par tous ces décès, par une perte d'énergie importante où elle a eu peur de perdre sa propre vie, une remise en question l'a amenée à jeter un regard attentif sur SA vie, ses façons d'être et d'agir... Et son coffre s'est ouvert.

> «Je le sais que je ne m'occupe pas assez de moi. Très jeune, j'ai appris à prendre soin des autres. Ma mère était souvent malade; j'ai eu peur de la perdre souvent. J'ai appris vite à devenir grande! Je réalise que je ne voulais tellement pas la déranger que je ne demandais rien. Je voulais lui plaire aussi. J'étais bien bonne pour en faire plus que moins!»

Vouloir plaire... être aimée. Le ressentir et sentir qu'elle n'est pas en «danger affectif», qu'elle ne sera pas abandonnée. Joanne a appris, par peur de perdre, à répondre aux besoins des autres sans égard pour elle-même. Le résultat: elle en a trop fait et s'est vidée de son énergie vitale, elle s'est oubliée. Elle ne considérait pas ou peu ses besoins, ne posait pas ses limites et, en quelque sorte, se «faisait violence» en ne se respectant pas. Ce comportement est construit sur sa blessure initiale, celle empreinte de la peur de ne pas être aimée comme elle est.

> «D'accord, je prends conscience de ce chemin que j'ai pris et qui m'a amenée à dévier souvent de moi-même; je me suis fait mal pas à peu près. Mais je ne sais pas comment être autrement! C'est tellement inscrit dans le fond de moi! C'est comme si j'avais un tatou dans le fond de mon ventre! Vous savez, j'ai un peu peur d'être autrement et je ne sais pas comment faire. Je veux changer, être mieux, mais en même temps quelque chose en moi dit non. Mais si je ne change pas, il me semble que je vais m'éteindre, je vais mourir en dedans. Et ça, ça me fait peur aussi. Je ne veux pas ça! J'ai l'impression de faire la traversée du désert et que je n'ai rien à boire, que je ne dispose que de très peu pour survivre!»

La peur de vivre versus la peur de mourir; la peur du changement; la peur de se perdre... de ne plus se reconnaître, d'être autrement, d'être soi, telle quelle. Et cela, sans cette route construite à partir de la blessure.

Joanne a finalement choisi de faire face à cette partie d'elle construite autour de cette peur de perdre et d'être abandonnée. Elle a choisi de laisser aller cette route ayant comme destination finale celle d'être aimée, mais strictement à condition d'en faire beaucoup et selon les besoins d'autrui.

Dur de laisser aller, car la peur surgit et la lutte s'engage entre toute cette structure créée autour de sa blessure et de son besoin d'être tout ce qu'elle est sans cette structure. La lutte est intense.

C'est comme si son intérieur luttait pour ne pas changer et pour résister à ce changement. Puisque cette façon d'être, avec son scénario et ses émotions qui y sont reliées, est bien installée, au chaud, depuis souvent bien des années. La «déloger» est difficile!

«Cela n'est pas confortable maintenant et ne m'est plus très utile. En fait, cette façon d'être et de faire me nuit aujourd'hui et je n'en peux plus! Cela me demande beaucoup d'énergie de la maintenir en place. Mais au moins, je la connais, tandis que si je la laisse aller... qu'est-ce que je vais devenir, moi?»

Tout un défi que de faire confiance et de se laisser être sans ce réseau construit autour de la blessure initiale. Tout un engagement envers soi-même que de se donner la possibilité de travailler sur soi et de retrouver, en quelque sorte, une partie de soi ayant été mise de côté pour céder sa place à ce processus créé à partir de la blessure.

Georges

Georges, cinquante-sept ans. Un infarctus l'année dernière. Il vient de prendre sa retraite après avoir travaillé trente-cinq ans. Il vit une nouvelle relation amoureuse depuis six ans et dit être heureux. Pourquoi vient-il en consultation?

> «Pour voir clair en moi, pour être sûr que je suis sur le bon chemin. Parce que je sens un malaise à l'intérieur de moi, une impression d'absence. Et cette impression est plus grande que mon bien-être. Je ne suis plus capable de maîtriser ces impressions. Je pourrais essayer de me remettre la tête dans le sable; je pourrais continuer à me mentir et continuer à vivre une situation de plus en plus inconfortable. Mais je ne veux plus faire l'autruche et je veux savoir ce qui est en dedans de moi et qui me fait peur.»

Déjà depuis quelques années, il réfléchit à sa vie, à ce qu'il a accompli et à ce qu'il veut faire des années qui lui restent.

> «J'en ai fait de toutes les sortes! Plus jeune, pendant assez longtemps, j'ai consommé, souvent. Des drogues mais surtout de l'alcool. J'aimais faire le party et m'éclater. Je me sentais en vie quand je le faisais. C'est fou! Je roulais *à cent milles à l'heure*! Plus il y avait de sorties, de partys, plus je vivais! Et puis, en vieillissant, j'avais plus de difficulté à suivre ce rythme, c'était épuisant. Mais aussi, j'ai commencé à ne pas me sentir bien avec cette vie-là. J'ai commencé à me sentir mal dans ma peau, comme s'il y avait d'autres choses en moi qui voulaient vivre. Ça m'a pris du temps avant de me permettre de moins consommer

et de moins faire la fête. Ça m'a pris du temps avant de commencer à me regarder sans l'absorption de toutes ces substances. Au fond, je ne savais plus trop qui j'étais. Ça m'a fait peur.

«Et puis, j'ai fait cet infarctus. La peur de ma vie! J'ai vraiment eu peur de mourir. Vous comprenez bien que j'ai définitivement arrêté de m'étourdir et de faire la fête! J'ai commencé à lire des livres sur la vie, des livres de philosophie et de psychologie. Et j'ai besoin de continuer cette recherche intérieure parce qu'il m'arrive de devenir tout croche en dedans et que je ne sais pas trop pourquoi.»

Georges, confiant et déterminé, a entrepris une démarche pour se connaître tel qu'il est, avec ses forces et ses vulnérabilités, avec ses expériences de vie, les bonnes et les moins bonnes, avec ses écueils et ses doutes.

Et cette impression qu'a Georges de ne pas se laisser vivre tout ce qu'il est... L'impression qu'il n'est pas en contact avec une partie de lui, comme s'il lui manquait quelque chose.

Dans cette démarche, Georges entre en contact avec des émotions «venant de loin». Elles étaient remisées tout au fond de lui. Elles montent en lui et, avec elles, surgissent des souvenirs...

Moments heureux, d'autres moins. Ces émotions et ces moments inscrits dans son être, comme sur un disque dur, en attente de lecture.

«Je n'ai jamais trop senti l'amour de ma mère. J'étais turbulent, très actif et elle me chicanait très souvent. Je ne me souviens pas qu'elle m'ait pris dans ses bras. Probablement, mais je ne m'en souviens pas. Je me souviens plutôt de m'être fait dire: "Tu es difficile à élever." Je me souviens encore des coups de règle sur les fesses. J'aurais tellement aimé qu'elle me prenne dans ses bras! C'est bizarre de dire ça. J'ai cinquante-sept ans et je dis que j'aurais aimé que ma mère me prenne dans ses bras. Ouf! J'ai l'air ridicule un peu, non?»

Non, ce n'est pas ridicule. C'est un besoin important non comblé à l'intérieur de Georges qui refait surface et redevient présent, vivant, après avoir été «poussé dans le fond». Parce que le manque était source de souffrance. Par besoin de protection. Et maintenant, il refait surface.

«J'ai tellement eu l'impression d'avoir toujours été seul. Je réalise que je me suis blindé face aux autres et que j'ai souvent été odieux dans mes commentaires et mon attitude. J'ai fait du mal autour de moi, j'ai blessé bien du monde avec mes remarques souvent teintées de critiques. Je voulais avoir l'air au-dessus de mes affaires! Vous savez, le genre à être baveux! Cela me rend triste de réaliser ça. Dans le fond, je ne voulais pas faire de mal à personne. Je me rends compte, aujourd'hui, que j'avais peur que l'on m'approche de trop près, vous comprenez? Peur de recevoir une taloche au cœur! Et c'est ça aussi qui m'a fait tant consommer. Je le vois bien. Je ne voulais pas trop me sentir, ressentir mon besoin d'être cajolé, aimé. Cela avait fait trop mal étant jeune!

«Je me suis donc coupé de ce besoin, mais, en même temps, je me suis coupé d'une partie de moi-même. Je voulais paraître fort et solide. Mais quand je sens ce besoin d'être aimé, je ne me sens pas fort du tout! Et je ne sais pas trop quoi faire avec ce besoin-là. Cela me fait peur! Mais je ne peux plus m'en cacher. Mon infarctus m'a assez fait peur que je ne veux plus me mentir à moi-même. Je veux être bien dans ma peau, même si je trouve ça difficile de prendre conscience de l'état des lieux!»

L'état des lieux à l'intérieur. De la difficulté à s'approcher de lui-même, du point de vue émotionnel. Georges a appris à fonctionner presque strictement avec sa tête. Et moins avec le cœur. Pourquoi? Par peur, la peur de souffrir. Il a développé une facilité à rationaliser, à trier les informations, les situations, les relations et, lorsqu'il est confronté à des émotions, à les traiter logiquement, froidement.

Ce qui semble pousser maintenant à l'intérieur de lui pour prendre leur place, ce sont ses émotions et ses besoins affectifs. Ses besoins du cœur.

«Là, j'ai besoin d'aide. Quand je ressens quelque chose, une émotion, je suis tout à fait démuni! J'ai envie de retourner vite dans ma tête! Je suis censé faire quoi?»

«Je me doute bien que je n'ai pas besoin de m'énerver et devenir anxieux. Quel apprentissage! C'est tellement nouveau pour moi. Mais c'est ce que je veux parce que je sais que c'est ce que j'ai à faire. Je ne veux plus me cacher derrière des substances nuisibles et des comportements méprisants.»

Il a appris. À ne pas avoir peur de ce qu'il RESSENT. À bien reconnaître ce qui l'habite. À faire face à sa blessure initiale et à prendre conscience de ce processus créé qu'il a mis en place par souci de bien répondre à ce qu'il a perçu comme demandes des gens significatifs de sa vie. Par souci de se protéger aussi.

PISTES DE RÉFLEXION

Vulnérabilité et peurs

- Quelles sont les situations devant lesquelles vous vous sentez vulnérable?
- Pouvez-vous déterminer ce qui provoque en vous ce sentiment de vulnérabilité?
- Avez-vous l'impression que ce que vous vivez à ce moment a une résonance avec des situations antérieures vécues?
- Quelles sont les craintes qui vous habitent? Avez-vous peur de développer des liens intimes, peur d'être blessé, peur de l'inconnu, peur de rencontrer de nouvelles personnes, de faire face à de nouveaux défis? Avez-vous peur du ridicule, de ne pas être à la hauteur... ou, plus concrètement, peur des hauteurs, peur lorsqu'il y a beaucoup de monde autour de vous?
- Pouvez-vous faire un lien avec une expérience vécue?

DORIS

Doris, trente-huit ans, mariée depuis dix ans et mère. Elle est très aimée. De nature sociable et enjouée, elle sait créer une ambiance chaleureuse autour d'elle et sait faire en sorte que les gens soient bien. Elle est tout aussi appréciée à son travail.

Elle y met tout son cœur et ne compte plus ses heures et les services rendus à ses collègues.

Dernièrement, elle s'est rendue à l'urgence de l'hôpital en pleine nuit. Diagnostic : crise d'anxiété. Avec la prescription de mieux s'occuper d'elle, de ralentir le rythme.

> «Je n'en reviens pas. Une crise d'anxiété! J'étais sûre que je faisais une crise cardiaque. Mon cœur battait à tout rompre et j'étais tellement essoufflée. Une crise d'anxiété? Pourtant, je ne vois pas pourquoi. J'arrive à bien gérer les tâches que j'ai à faire.»

Doris occupe un poste de gestion et gère différents projets en plus de s'occuper d'une équipe de dix personnes. Elle me dit être très fière d'elle, car elle fonctionne à 110 % et livre la marchandise.

> «C'est important pour moi de faire un excellent travail. C'est un défi que je me donne. Même que cela me stimule encore plus quand c'est à la dernière minute. Cela me pousse à tout donner! J'en retire une grande fierté! Mais je ne comprends toujours pas pourquoi j'ai fait une crise d'anxiété. Mais je sais que j'ai peur d'en faire une autre. Je ne suis plus sûre de toujours bien contrôler maintenant. Je me souviens du "feeling" et je ne veux pas revivre ça. Il faut que je sois correcte et fonctionnelle. Il faut que tout soit parfait.»

Au fil des rencontres, Doris se rend compte qu'elle exige beaucoup d'elle-même et que si ce n'est pas comme elle le veut, elle n'est pas bien. Elle se rend compte qu'elle ne sait pas ce que c'est que de s'arrêter et prendre du temps pour elle. Cela la fait paniquer.

> «Prendre du temps pour moi? Cela veut-il dire du temps à ne rien faire? J'en suis incapable! J'ai essayé et ça ne marche pas. Si je ne fais rien, je ne suis pas bien; j'ai la gorge qui serre et une boule dans le fond de mon ventre. Je panique! Ce n'est vraiment pas confortable. J'aime mieux tout faire et tout contrôler.»

> **«Je réalise que j'ai peur de ne rien faire parce que dans ces moments-là je ressens un vide. Un vide, c'est vraiment effrayant comme sensation. J'ai l'impression de tomber dans une rivière profonde pleine de rapides, que le courant m'emporte et que je me noie.»**

> «Vous comprenez que j'aime mieux m'activer et faire des choses. J'y suis habituée. Sinon, j'ai l'impression de couler à pic et je deviens tellement mal! Tiens, c'est peut-être ça, de l'anxiété.»

Lorsqu'elle s'est permis d'orienter son regard et sa réflexion vers des expériences passées, Doris a vite réalisé d'où venaient son malaise et sa crainte de ressentir ce vide. Elle a vite réalisé ce qui la poussait à toujours vouloir performer, se surpasser, donner plus que du 100 %.

> «Mes parents ont toujours travaillé très fort. Ils occupaient tous les deux des postes de haute direction. Ils étaient souvent absents. Je n'ai pas eu beaucoup de moments avec eux quand j'étais jeune. Quand je recevais mes bulletins, ils prenaient le temps de les regarder avec moi et étaient fiers de moi lorsque j'avais 90 % et plus. Je comprends maintenant que j'ai dû percevoir et comprendre que j'avais

de l'attention quand je performais. Je me sentais aimée à ce moment-là.»

Pour elle, se pousser jusqu'aux confins de ses limites et aller vers la perfection était la route ou plutôt la compréhension de ce qu'elle a perçu de ce que voulaient ses parents. Et ce qu'elle DEVAIT FAIRE pour être aimée. Alors, pour ne pas risquer de perdre cet amour, elle s'est adaptée à ce qu'elle croyait être les comportements à avoir pour être aimée, soit se donner à 100 %, et ce, même à son détriment. Jusqu'à la crise d'anxiété.

Nous voyons la complexité de ce qui se développe à l'intérieur de nous dès notre jeune âge. Nous voyons l'importance et l'impact de ce que nous RESSENTONS et l'impact de notre PERCEPTION, qu'elle corresponde ou non à la réalité. Un grand impact puisque cette perception inscrit en nous une empreinte, souvent attribuable à une impression de manque affectif, un sentiment de non-reconnaissance. BLESSURE INITIALE. De là, nous adoptons une façon d'être qui, au fil des ans, deviendra en quelque sorte notre «marque de commerce».

Notre processus créé en nous et façonnant notre comportement. Ce qui nous amène à dévier de qui nous sommes sans les stigmates de cette blessure. Cette façon d'être, ce processus créé, sera-t-il nécessairement dommageable? La complexité de l'être humain, de ce qu'il est, rend difficile une réponse très nette et délimitée à cette question.

Ce comportement sera dommageable en ce sens qu'il peut affecter notre estime de nous-mêmes et nous amener à faire des choix non appropriés à qui nous sommes vraiment. Il pourra aussi affecter notre façon de nous relier à autrui en projetant sur une expérience affective le sens donné à l'expérience affective ayant créé la blessure initiale.

Prenons par exemple Josée qui me dit avoir énormément de difficulté à faire confiance à son conjoint dans une relation amoureuse. Elle est convaincue qu'il ne peut l'aimer vraiment; elle se sent presque constamment sur le qui-vive et l'insécurité teinte son lien avec lui. En fait, elle devient hypervigilante à tout signe pouvant lui indiquer une infidélité ou un rejet de sa part. Dans la réalité, la relation est harmonieuse, saine et enrichissante. La méfiance et l'insécurité proviennent plutôt de la blessure initiale, faite dans ce cas-ci de l'absence quasi constante de son père lorsqu'elle était jeune, père qui lui promettait de venir la voir, mais qui ne se présentait pas au rendez-vous. Josée projette donc dans sa relation actuelle ce qu'elle a vécu plus jeune.

Certes, nous nous développons en fonction de nos expériences affectives. Nous faisons de notre mieux pour aller vers notre bien-être et nous adapter à notre environnement. Nous faisons aussi de notre mieux pour aller vers des sources affectives nourrissantes pour nous. De façon naturelle et spontanée, nous cherchons à être bien, à nous sentir appréciés et aimés.

En fonction de nos expériences vécues étant jeunes, nous nous y adaptons et nous développons notre façon de nous relier au monde, aux gens nous entourant. Nous développons des façons d'aller chercher l'affection dont nous avons besoin à partir de notre propre expérience. Du moins, nos façons d'y parvenir en sont teintées. Que nous ayons senti carences et abandon ou affection et sécurité, nous imprimons à l'intérieur de nous ces expériences et nous modelons en conséquence nos façons de «nous nourrir affectivement».

Nous devenons, d'une certaine façon, prisonniers du sens que nous avons donné à l'expérience affective rattachée à la blessure initiale.

Ce sens donné influencera plus ou moins intensément et profondément nos schèmes de pensées et nos stratégies quant à la recherche de liens affectifs nourrissants. Il est en fonction, en quelque sorte, de l'intensité de la blessure ressentie. Il y aura une tendance à nous «surprotéger» si nous avons vécu une blessure profonde, ce qui peut compliquer la satisfaction de nos besoins sur le plan affectif.

Nous vivrons certainement des expériences affectives similaires et cela aura comme conséquence de recréer le même climat émotionnel que celui vécu étant jeunes. Nous pouvons au cours de notre vie connaître des liens affectifs suffisamment nourrissants pour pallier la blessure initiale et qui nous permettront de développer des façons saines et appropriées quant à l'expression de notre univers affectif.

Troisième partie

Processus intérieur : cheminement et transformation

« Sans haine, sans colère, presque sans peur :
ce n'est qu'un chant d'amour et d'acceptation,
une lente et difficile montée vers la paix
et la lumière. »

– André Comte-Sponville

Et si nous regardions maintenant ce processus, notre cheminement et la possibilité de transformation présente en nous? Ce processus intérieur, c'est-à-dire ce que nous vivons «en dedans», ce que nous créons comme climat intérieur. De quelle façon nous laissons-nous vivre ce qui s'y trouve?

~ ~

JACINTHE

Jacinthe, quarante ans, en dépression. Sa deuxième. Elle est fâchée, en maudit! Elle s'était pourtant promis de ne plus «aller là». Passionnée par son travail, celui d'enseigner. Elle aime donner aux autres, s'investir dans ce qu'elle fait.

«Je m'en veux tellement! Comment cela se fait-il que je vive encore ça? Je n'accepte pas de vivre une dépression. ENCORE!»

Jacinthe se débat avec elle-même; avec toute cette fatigue, ce manque d'intérêt et tous les autres symptômes reliés à la dépression. Mais surtout, elle lutte avec sa frustration, sa colère et sa déception d'être dans cet état.

Elle me dit être crispée à l'intérieur, très tendue, avec peu d'énergie. «Je suis mal comme cela ne se peut pas! Je n'ai pas plus que trois sur dix au niveau de l'énergie!»

Elle prend conscience que ce mal-être et cette crispation intérieure sont la résultante de sa lutte pour ne pas accepter ce qui lui arrive.

Et, lors de son travail en consultation, elle arrive à nuancer et à dire que ce n'est pas ce qu'elle voulait pour elle, que «ce n'est pas fort comme situation», mais qu'elle peut l'accepter «sans se taper dessus». S'ensuit une sensation de plus de légèreté à l'intérieur d'elle-même, «comme si j'ai plus d'espace».

Jacinthe est étonnée de ce changement et me dit alors réaliser l'impact de sa façon de se traiter sur son bien-être. Son lâcher-prise permet de diminuer la tension venant de son refus d'être dans cet état et permet une meilleure «condition intérieure» pour amorcer sa route vers une guérison.

Responsables de notre bien-être

Serait-ce à dire que nous sommes responsables de notre état d'être, de notre climat intérieur? Serait-ce à dire que nous avons les ressources nécessaires pour être bien en dedans? Que nous pouvons nous aider à mieux être, et ce, même dans des circonstances de vie difficiles?

Oui, d'une certaine manière, nous sommes responsables des façons avec lesquelles nous «gérons» ce que nous vivons à l'intérieur de nous-mêmes. Nous sommes responsables de l'attitude que nous adoptons devant les aléas de la vie. Vis-à-vis du bonheur et aussi de ce que nous considérons comme un malheur.

Nous sommes responsables de la prise de conscience de ce qui nous habite autant que responsables de ce que nous faisons.

Ce que nous vivons à l'intérieur de nous-mêmes nous appartient. Notre santé psychologique dépend en bonne partie de nous. De l'attitude adoptée envers nous-mêmes. Au même titre que ce que nous mangeons affecte et influence notre santé physique, ainsi que notre attitude envers nous-mêmes, notre façon de nous traiter, de nous permettre de bâtir ou de maintenir une bonne estime de nous-mêmes affecte notre bien-être.

Avoir une bonne connaissance de nous-mêmes, de nos forces autant que de nos vulnérabilités, de nos valeurs, de nos limites et de nos besoins nous permet de prendre soin de ce bien-être psychologique. En fait, nous permettre de prendre conscience de qui nous sommes facilite beaucoup la saine gestion de nous-mêmes.

Alors, si nous faisions un voyage vers nous-mêmes, un voyage intérieur? Pour découvrir, tout au fond, qui nous sommes. Descendre en nous pour bien ressentir nos langages intérieurs, nos peurs, nos espoirs, nos blessures remisées, nos rêves, nos ressources et nos capacités, et cela, pour mieux remonter et exprimer qui nous sommes VRAIMENT. Pour mieux nous vivre.

C'est un peu comme lorsque nous choisissons de partir en voyage; nous nous y préparons, nous en sommes contents. Nous lisons sur la destination, nous apportons le nécessaire pour faire face aux conditions diverses du pays, bref, nous prenons plaisir à nous y préparer. Nous nous investissons dans la préparation de ce voyage. Nous savons que nous visiterons tel ou tel pays, découvrirons tel ou tel patrimoine, sans toutefois connaître à l'avance tout ce que nous visiterons. Des imprévus sont possibles et font souvent partie du voyage et même en deviennent des événements marquants. Peut-être que nous nous inquiétons du temps qu'il fera: ensoleillé ou pluvieux, brise légère ou temps froid... Mais si nous avons le nécessaire pour y faire face, les éléments de la nature, quels qu'ils soient, ne feront pas ombrage à ce voyage.

PISTES DE RÉFLEXION

Havre de paix

Nous avons tous un endroit de prédilection, un endroit représentant pour nous un « petit paradis », un endroit où nous sommes heureux d'être. Un havre de paix.

- **Prenez le temps** d'être bien détendu et de visualiser l'endroit qui, pour vous, représente le bien-être, le bonheur d'être : en montagne, sur le bord de la mer ou d'un lac, dans votre hamac... Incorporez à votre visualisation tous les éléments que vous évaluez nécessaires à votre bien-être : sentir la chaleur du soleil sur votre peau ou la fraîcheur du vent, entendre le bruissement des feuilles ou le chant des oiseaux...
- **Prenez le temps** de bien visualiser et sentir ce havre de paix, puis imaginez-le à l'intérieur de vous. Il sera sans doute nécessaire de refaire cette visualisation plusieurs fois pour arriver à vraiment l'intégrer. Plus vous prenez le temps de construire cette visualisation, plus vous ressentirez aisément sa présence lorsque vous y penserez. Ce qui aura comme résultat qu'il vous sera facile d'y revenir en tout temps, et plus particulièrement dans les temps de tempête, vous permettant ainsi de vous aider à retrouver votre calme. Un havre de paix à l'intérieur de vous.

Partir à la découverte de nous-mêmes

Partir à la découverte de nous-mêmes, c'est aussi un investissement de temps et d'énergie. C'est nous permettre d'aller vers une meilleure connaissance de soi, de reconnaître ce qui nous habite, notre discours intérieur, notre façon de nous traiter, de percevoir nos ressources et nos manques. C'est un voyage vers une destination connue et inconnue tout à la fois; nous y contacterons des zones de nous-mêmes que nous connaissons déjà assez bien. Nous serons étonnés d'en découvrir d'autres qui, il nous semble, nous avaient «échappé». Comme si cela faisait longtemps que nous avions visité ces zones, ces espaces de vie en nous.

Quelquefois, cette découverte de nous-mêmes ne se fait pas à partir d'un choix conscient, mais de l'avènement d'un événement qui nous ébranle suffisamment pour nous diriger vers ce besoin d'aller mieux. À d'autres moments, nous pouvons ressentir un mal-être et nous choisissons de passer outre, de ne pas le voir et surtout de ne pas le ressentir. Le coffre redevient utile, car nous y mettons ce mal-être pour continuer notre chemin.

Et cette transformation intérieure peut s'avérer un choix conscient d'investir en nous-mêmes pour y maximiser notre bien-être et aussi notre «expansion», c'est-à-dire développer encore plus nos capacités et nos ressources. Un choix rendu possible lors de la résolution de la blessure initiale et des blessures connexes que nous portons.

Maximiser notre potentiel d'être pour être au mieux avec nous-mêmes et ainsi favoriser l'actualisation de qui nous sommes et l'actualisation de notre épanouissement et de notre bonheur.

Y a-t-il un itinéraire précis à ce voyage? À ce cheminement intérieur? Une route tracée d'avance? Un rythme précis? Un temps donné?

Non. Pas d'itinéraire précis ni de rythme et de temps précis. Certes, il y a des pistes à suivre, des pistes suggérées pour arriver à destination; nous avons notre propre façon de nous y rendre, notre propre vitesse de croisière. Avons-nous besoin, en chemin, de faire des arrêts pour mieux continuer? Avons-nous besoin d'y aller à la vitesse grand V? Chacun de nous le fera différemment. Ayant notre propre bagage, notre propre sens inscrit à l'intérieur de nous, de même que nos propres ressources, blessures, histoires... tout cela influence le rythme et l'ouverture du processus intérieur, tout cela influence le mouvement de la descente en nous.

Car c'est bien d'une descente en nous dont il est question. Nous permettre d'aller vers notre trame intérieure profondément inscrite en nous; nous permettre de nous laisser ressentir, d'être en contact avec nos émotions et nos sensations et non strictement avec nos pensées, même si elles sont très utiles. Nous permettre de prendre conscience de notre sens profond, le sens de notre expérience.

> «Alors, je fais quoi? Je ne veux pas aller en dedans de moi. J'ai peur d'avoir trop mal si j'y vais et peur de ce que je vais y trouver. En même temps, je vois bien que je ne peux plus fonctionner comme je l'ai fait jusqu'à maintenant: être dans ma tête, avec toutes mes histoires. Ça roule à temps plein dans ma tête, ça me rend folle! Je suis épuisée, je ne suis pas bien. Avez-vous une baguette magique, des trucs pour arrêter ce tourbillon incessant dans ma tête?»

Une baguette magique, des recettes miracles. Non, il n'y a rien de tout cela. Il y a, par contre, une route pouvant mener à un mieux-être; une route demandant une implication de notre part, dans notre façon d'être bien ou pas; une route nous demandant une volonté de nous regarder, en toute humilité et bienveillance, et de faire face à ce qui nous habite. Et ce, même si cela nous demande de prendre conscience d'une route ne faisant pas notre affaire, parce que douloureuse ou peu glorieuse, selon notre perception.

Cela nous demande du courage de nous voir tels quels, sans rien d'autre sur le dos que nous-mêmes avec nos bons coups et les moins bons... et avec nos souffrances et cette blessure remisée. Avec nos ressources également, nos façons d'être qui sont nourrissantes pour nous. Et, par-dessus tout, nous pouvons compter sur notre résilience, cette capacité que nous avons de «rebondir» lorsque nous sommes confrontés à des difficultés.

PISTES DE RÉFLEXION

Ressources

- Dans un moment de calme et de détente, prenez le temps de faire l'inventaire de ce que vous reconnaissez comme étant vos ressources : capacité d'adaptation, capacité d'apprendre, créativité, sens de l'organisation, courage, douceur, sens de l'humour, volonté...
- Ensuite, prenez conscience de toutes vos façons habituelles d'utiliser vos ressources et des situations dans lesquelles vous vous en servez et comment elles vous sont utiles.

Cela nous demande une ouverture honnête sur nous-mêmes, quoi que nous rencontrions sur cette route de transformation intérieure. La volonté de faire face à ce qui sera. La volonté de changement, même si cela peut engendrer une certaine appréhension, est nécessaire pour qui de nous veut vraiment faire la connaissance de soi, profondément.

Il y aura des passages plus exigeants lors de la prise de conscience probable de la blessure initiale, celle remisée dans le coffre. Instinctivement, il y aura, à ce moment, une levée de boucliers à l'intérieur, une résistance à aller à la rencontre de cette blessure, parce qu'une mémoire de douleur y est rattachée.

Parce que l'émotion s'y retrouve, telle quelle, souvent tout aussi vibrante que lors de l'événement vécu.

Parce qu'une vulnérabilité risque de se faire ressentir et la peur de ne pouvoir y faire face surgira. C'est plus précisément à ce moment que cette volonté de changement, cette volonté d'être soi et cette ouverture à ce qui est auront leurs rôles à jouer. Rôle de réconfort, mais aussi et surtout de stimulation pour continuer ce chemin.

C'est aussi à ce moment que se fera sentir plus fortement le besoin de faire confiance à notre processus intérieur, à nos pensées, nos émotions et nos sensations. De faire confiance à nos diverses ressources souvent voilées par la présence de blessures et par la résistance au changement, la résistance à «lâcher prise» sur ce processus.

C'est à ce moment qu'il faudra nous entourer de chaleur, de douceur, beaucoup de douceur et de lenteur, tout au long de notre voyage intérieur.

La résistance devant une souffrance pressentie. Une résistance aussi au changement de une ou des façons d'être établies à l'intérieur de nous depuis déjà longtemps. Risquer de faire face à la souffrance en plus de risquer un changement dans notre façon d'être, c'est difficile! Alors, la résistance nous semble la meilleure stratégie.

RÉSISTANCE À LA SOUFFRANCE, RÉSISTANCE AU CHANGEMENT

Il nous apparaît légitime et tout à fait humain de devenir naturellement «en mode défensif» pour nous protéger lorsqu'il y a perception d'un danger. Et cela nous est effectivement très utile dans des situations de dangers réels, telles que la présence d'une voiture fonçant vers nous, car ce mode nous permet d'agir rapidement afin d'éviter le danger.

Sur le plan affectif, ce même mécanisme défensif se met aussi en place lorsque nous ressentons un «danger» sur ce plan: danger de perdre, d'avoir mal, de souffrir et d'être coincé avec cette souffrance. Il nous permet effectivement de nous protéger dans certaines circonstances de vie.

Julie vient d'apprendre la mort de ses parents et de l'un de ses frères dans un accident de voiture. Choc. Besoin de temps et d'espace pour absorber cette information tout à fait subite et douloureuse. Ce mécanisme se met en place par protection, afin de lui donner le temps nécessaire pour, en quelque sorte, «survivre» à cette annonce, à cet événement traumatique. Dans le processus de deuil, cela fait référence à ce que nous appelons l'étape de choc et celle du déni.

Ce même mécanisme, lors du cheminement vers soi, peut se mettre en place pour la même raison: nous protéger d'une souffrance ressentie. Ne pas vouloir avoir mal à nouveau. C'est que le coffre a été bien utile! Tellement que cela nous demande d'être conscients de ce mécanisme et de faire confiance à nos ressources pour ainsi nous permettre d'aller cette fois vers cette souffrance remisée pour nous libérer de la charge émotionnelle l'accompagnant.

Et ainsi prendre possession, si nous pouvons la nommer ainsi, d'une partie de nous.

Aller à la rencontre de notre processus intérieur demande tout cela: courage, humilité et confiance. Il y aura quelquefois une tendance à nous mettre en retrait, à nous protéger. Et à d'autres moments, une tendance à tendre l'oreille vers soi, pour bien entendre ce qui se vit à l'intérieur de nous.

Découvrir notre pays à nous, fait de nos pensées, nos émotions et nos sensations.

PISTES DE RÉFLEXION

Douceur de vivre et petits bonheurs

- Quels sont vos moments préférés? Des moments où vous vous sentez particulièrement bien, où vous sentez un ressourcement. Prenez le temps de reconnaître ce qui vous procure du plaisir et du bien-être: discussions avec des amis, une promenade en forêt, faire une activité physique, lire, cuisiner, écouter un film ou votre musique de prédilection...
- Vous pourrez ainsi «parsemer ces petits bonheurs» dans votre vie, dans votre quotidien et particulièrement dans les moments difficiles. Ils sont source de bien-être, de réconfort et, en quelque sorte, des remparts dans notre vie.

TROIS LANGAGES INTÉRIEURS : PENSÉES, ÉMOTIONS ET SENSATIONS

Trois langages intérieurs, là pour nous informer, nous guider sur ce que nous vivons et sur ce dont nous avons besoin. Trois langages étant présents en nous en tout temps, œuvrant ensemble à la création de notre état d'être, de notre climat intérieur.

Nos PENSÉES, notre discours intérieur : ce que nous nous disons, ce que nous nous racontons. Et il y a fort à parier que nous avons développé un discours en particulier, celui nous revenant le plus souvent et qui a prédominance. Par exemple, un discours culpabilisateur dans des situations où nous avons l'impression de ne pas répondre adéquatement aux demandes que nous percevons.

Nos ÉMOTIONS, l'expression de notre état d'être : peur, joie, tristesse, dégoût, colère, culpabilité, honte, surprise.

Nos SENSATIONS, le ressenti physiologique, la somatisation. Notre corps qui nous parle... Expériences agréables, bien-être : sensation de légèreté, de contentement, sourire aux lèvres. Expériences perturbantes, mal-être : maux de dos, troubles de digestion, maux de tête, boule dans la gorge, vrille dans le ventre, serrement.

Sommes-nous tristes? Nous sommes probablement en contact avec un événement douloureux, une perte, ou bien nous sommes en contact avec une histoire que nous nous racontons et qui est teintée d'insécurité ou de souffrance puisqu'elle est créée à partir d'une blessure. Sommes-nous anxieux? Un langage fait d'insécurité nous habite; il est possible que nous soyons à développer des peurs devant une situation.

Ces exemples rendent compte de la présence constante de ces trois langages nous renseignant sur notre état d'être, lesquels, bien identifiés, aident et à la compréhension de ce que nous vivons et à l'adaptation à ce qui se passe. Et tout autant à la modification de cet état si besoin est.

La reconnaissance de ces trois langages est une mine d'informations sur nous. Pour nous. Elle nous permet «de nous tenir» au courant de ce qui se passe à l'intérieur de nous.

C'est un peu comme notre courrier interne. Prendre l'habitude d'aller à la poste et de lire notre courrier tous les jours nous permet justement de nous tenir à jour sur ce que nous vivons et de rectifier le tir au besoin.

Nous ne pouvons être conscients de tout ce qui se passe en tout temps. Mais développer cette habitude nous amènera certainement à une meilleure connaissance de nous-mêmes. Et à une meilleure gestion de nous-mêmes.

PISTES DE RÉFLEXION

Pensées-émotions-sensations

Êtes-vous au courant des pensées vous habitant de façon récurrente?

- Que faites-vous de vos émotions? Par exemple, lorsque vous ressentez de la tristesse, la fuyez-vous en vous lançant dans une activité accaparante ou vous laissez-vous la vivre?
- Quant à vos sensations, prenez-vous le temps de les reconnaître en écoutant les signaux que votre corps vous envoie, et particulièrement lorsque le stress, la fatigue ou un trop-plein d'émotions vous habitent?

Il est très important de prendre conscience de l'influence que l'un de ces langages peut avoir sur les autres. Nos pensées ont invariablement un impact sur les émotions et les sensations ressenties et vice-versa. Autrement dit, ce que nous pensons va faire émerger sans nul doute des émotions et des sensations reliées d'emblée à ces pensées. Si, par exemple, nous pensons à la possibilité de perdre notre emploi dès la semaine suivante, une insécurité se développe à l'intérieur de nous et nous devenons probablement tendus, crispés. Le processus intérieur se teinte en quelque sorte de la couleur de notre pensée.

Tout est interrelié et, en cela, une lecture appropriée et une connaissance approfondie de notre part sont nécessaires afin de bien saisir l'impact de ces trois langages en nous.

Ce qu'il est important de noter, c'est cette influence mutuelle qu'ont ces trois langages. Et comment, en étant cons-

cients de cela, nous pouvons avoir un certain pouvoir sur ce que nous vivons.

Attention! Ici, il n'est nullement question de pensée magique ou de pensée positive réglant nos conflits intérieurs et nos décisions. Non! Nous faisons seulement mention de la coexistence et de l'interdépendance de nos pensées, de nos émotions et de nos sensations. Notre psyché, notre affectif et notre physique.

Lorsque nous sommes enfants, nous sommes spontanés: nous vivons de façon naturelle nos sensations et nos émotions. Les sens sont notre façon d'appréhender notre monde. Puis, le langage et les fonctions cognitives se développent et deviennent très présents à l'âge adulte, mettant souvent en arrière-plan et au second rang nos émotions et nos sensations.

Alors, bien souvent, les pensées semblent «occuper tout le territoire». Prendre presque tout l'espace en dedans. C'est qu'il y en a des choses à contrôler! Autant dans notre réalité quotidienne, dans nos activités, que dans notre réalité interne, ce qui nous habite. Et tout en nous activant dans notre vie, il semble rester peu de place et d'énergie pour les autres aspects en dedans. Pour ce qui est tout aussi important, sinon plus: NOUS. Notre force de vie. Notre être. Nos émotions et nos sensations.

Notre être, qui EST, d'abord et avant tout. Notre être qui vit et nous permet de nous projeter dans une vie faite de prises de décisions, d'actions, d'accomplissement et de recherche de mieux-être.

Si nous négligeons cette force de vie au profit constant du «faire», n'y a-t-il pas danger d'un déséquilibre pouvant nous amener vers des bouleversements intérieurs importants? N'y a-t-il pas lieu de nous occuper tout autant de nos autres langages internes, nos émotions et nos sensations? De nous occuper des «vraies affaires», c'est-à-dire ce qui colore qui nous sommes et comment nous nous projetons dans notre vie?

Nos pensées, notre tête, «notre tour de contrôle» nous permettent de comprendre ce que nous vivons. Et nous permettent d'en prendre conscience.

Toutefois, ce n'est que par notre ressenti qu'un réel changement se produit.

En fait, l'existence de deux mouvements nous reliant, et à nous et à notre environnement, est indéniable. Il y a ce mouvement vertical, c'est-à-dire ce lien intérieur reliant nos pensées, nos émotions et nos sensations à notre sens profond, ce qui est tout au fond de nous, c'est-à-dire nos expériences de vie. Notre lien avec nous-mêmes.

Et il y a le mouvement horizontal, celui entre notre vécu intérieur, fait de nos pensées, émotions et sensations, et nos actions et comportements, ce que nous projetons et actualisons dans notre environnement à l'extérieur de nous. Notre contact relationnel.

Ce qui se passe entre les deux mouvements, ce qui se passe à l'intérieur de nous et ce que nous exprimons et actualisons à l'extérieur de nous, dans notre vie, est primordial. S'il y a congruence et fluidité entre ces deux mouvements, nous nous sentirons unifiés et, en quelque sorte, en harmonie avec qui nous sommes. Le contraire risque plutôt de nous faire ressentir une impression de ne pas vraiment exprimer qui nous sommes; une impression de ne pas être en accord, du moins avec une partie de nous.

Force est de constater que plus nous sommes conscients de nos langages intérieurs, de leur pertinence, de leur fluidité et de leur résonnance avec les situations et les événements dans notre présent, plus nous avons la possibilité de nous sentir bien et en harmonie dans notre vie.

Notre voyage intérieur nous fait donc prendre conscience des trois langages présents en nous et influençant notre façon d'être. Pensées. Émotions. Sensations.

Obstacles ayant un impact sur notre bien-être : l'anticipation, le retour vers le passé et l'interprétation/ le jugement

L'anticipation

> « Anticiper : prévoir, supposer ce qui va arriver, y adapter par avance sa conduite[5]. »

Imaginer des événements, des situations futures. Ce qui est utile lorsque nous voulons créer les meilleures conditions possible pour un événement ou un moment à venir, moment important pour nous.

Par contre, lorsque nous parlons du processus intérieur et des façons d'être nous habitant, vivre en anticipant la plupart du temps ce qui peut arriver dans telle et telle situation génère presque à coup sûr une insécurité, voire de l'anxiété.

Quand nous devenons aux prises avec cette anticipation et qu'elle en devient notre façon de fonctionner en dedans, c'est à ce moment qu'elle se transforme en un élément perturbateur quant à notre bien-être. Qu'elle peut soulever de grands vents et «nous faire frissonner». Nous sommes, à ce moment, à nous projeter dans des situations non encore vécues. Souvent par souci de bien faire, de maximiser la possibilité d'un succès, ou pour tenter de freiner ou de ne pas vivre des émotions difficiles. Ou encore pour ne pas faire face à une situation non désirée.

Et dans cette descente en nous, dans l'amorce de ce processus de transformation intérieure, l'anticipation d'un mal-être, d'une blessure, d'un vide, d'un manque, ne fait que donner vie à la peur d'avoir mal, de souffrir, et a comme effet de nourrir la résistance à ce contact avec soi. Nourrir la résistance à se laisser être dans tout ce que nous sommes, y compris nos mémoires affectives blessées.

En anticipant ce que nous risquons de vivre en nous ouvrant vraiment à nous-mêmes, nous permettons le développement d'un mouvement intérieur fait très souvent d'insécurité, de doute et de peur.

Nous nous exposons à vivre un autre rythme intérieur, un rythme en fait qui n'existe pas autrement que par la vie que nous lui donnons. Que par les projections de nos craintes et de nos désirs.

Comme si nous intercalions dans notre temps présent un autre temps créé de cette anticipation, par souci de ne pas nous laisser vivre ce que nous ressentons... ce qui nous est inconnu à ce moment. Pour tenter de contrôler (encore!) la possible souffrance, nous créons ce temps, ce climat!

Anticiper nous projette vers un ailleurs, vers un avenir, vers un temps autre que le moment présent. Cela nous «sort» de notre présent. De note présence à nous. À ce qui est, ici et maintenant.

Ici et maintenant. Ce qui vit en nous. Tel quel. Ce qui vit en nous et influence notre processus intérieur et nos prises d'actions dans notre vie.

Alors, anticiper, «nous étirer vers l'avant», nous fait perdre cet instant présent, étouffe la joie de le vivre. Nous empêche de nous laisser sentir toute sa richesse.

L'anticipation est un obstacle ayant un fort impact sur notre bien-être puisqu'elle nous amène ailleurs qu'à notre présence à nous, ici et maintenant.

Le retour vers le passé

De même, «s'étirer constamment vers l'arrière» nous transporte aussi dans un autre temps: le passé. Ce dernier nous est utile lorsque nous y allons pour en tirer des informations sur nous, nos racines et nos façons d'être. Lorsque nous y allons pour nous reconnecter avec des expériences enrichissantes vécues et des ressources personnelles développées afin de mieux nous y relier et de nous actualiser. Le passé est riche de toutes ces informations.

Un regard vers le passé nous permet aussi de ressentir notre continuité, notre «ligne de vie» dans le temps. Nous avons été et nous sommes. Ce sentiment de continuité, ce ressenti d'être dans le temps, «dans notre temps», celui de nos expériences, nous donne ce sens tant recherché, celui d'avoir une résonance dans notre vie et celle de nos proches, d'avoir été et d'avoir en quelque sorte construit à travers le temps une identité qui nous est propre.

Le passé est aussi une forme d'héritage. Y sont inscrits les apprentissages fournis par nos parents, nos grands-parents, notre cellule familiale et notre famille élargie. Une diversité d'expériences nous est accessible.

Il peut être source de réconfort lors d'un passage difficile : nous souvenir de moments heureux, de personnes pour qui nous ressentons beaucoup d'affection peut nous procurer tendresse, joie et volonté de continuer notre route.

Le passé nous offre des expériences vécues, des ressources développées, du réconfort et un sens, celui d'avoir été.

Par contre, nous y plonger voile aussi le moment présent. Tourner notre regard vers notre passé et nous en imprégner constamment nous empêche de nous laisser « être ici et maintenant ». Nous ne pouvons ressentir notre moment présent. Le passé est, tout comme l'avenir, un autre temps. IL A ÉTÉ.

Nous devons nous rappeler que notre passé est en nous dans notre présent. Et à partir du moment où nous ressentons en nous des émotions y étant reliées, celles-ci existent et vivent ici et maintenant, dans notre présent. Les faits appartenant au passé sont passés, ils ont été vécus ; par contre, les émotions peuvent avoir été remisées et il est définitivement bénéfique pour nous de les laisser s'exprimer.

La pleine conscience

Être avec soi, en dedans, tel quel, c'est nécessairement être dans notre présent. Point.

Être présent à nous. Au moment où nous vivons ce moment. Avec toute la richesse que détient notre processus intérieur. Avec toute la richesse de ce qui est autour de nous. Ce que nous appelons la pleine conscience.

> « La pleine conscience consiste à intensifier sa présence à l'instant, à s'immobiliser pour s'en imprégner, au lieu de s'en échapper ou de vouloir le modifier, par l'acte ou la pensée. La pleine conscience, ce n'est donc pas de faire le vide ni produire de la pensée. C'est s'arrêter pour prendre contact avec l'expérience, toujours en mouvement, que nous sommes en train de vivre[6]. »

Oui. En mouvement. Toujours en mouvement. Prendre contact avec l'expérience, avec les mouvements intérieurs et extérieurs à nous. Nous laisser ressentir ce qui s'y trouve, ce qui se passe. Simplement. Être présent à nous, cela semble facile. Mais voilà qu'avec notre regard tourné très souvent vers la performance, nous avons appris à penser, à analyser et à produire. Et, ce faisant, nous avons appris à nous éloigner de ce que nous ressentons. Alors, ce ressenti est devenu quelque peu comme un étranger à l'intérieur de nous dont nous sentons la présence quand il devient trop bruyant, trop dérangeant. Notre réflexe, à ce moment, est de le renvoyer d'où il vient! Au fond de nous. Pour ne pas le ressentir. Parce que dérangeant. Parce que ne sachant plus trop quoi faire avec. Cela s'avère quelque peu déstabilisant de ressentir quand nous sommes habitués à fonctionner avec notre tête.

Pleine conscience. De ce qui est. Moment présent. L'importance du moment présent.

PISTES DE RÉFLEXION

Temps. Passé. Présent. Avenir

- Avez-vous tendance à réfléchir au passé très souvent, ou vous projetez-vous très fréquemment dans l'avenir? Et votre présent, le vivez-vous?
- Quel est le temps vous habitant le plus?

Nous voyons toute la force qui se trouve dans le présent. Dans notre présence à nous.

Et toute la force du bonheur de vivre ces «petits riens» qui, pourtant, sont la vie et l'énergie de notre quotidien. Malgré le rythme de vie parfois effréné, trouver le temps de développer le réflexe de la présence à nous et de donner pleinement vie à nos sens... Comment? PRENDRE LE TEMPS... Il suffit quelquefois d'à peine quelques minutes. Prendre le temps de voir vraiment ce qui est autour de nous; d'écouter ce qui s'entend, de savourer ce qui se goûte. En route vers le travail, au matin, entendre le chant d'un oiseau; sentir la chaleur d'un rayon de soleil sur notre visage; voir autour de nous les visages des gens, les couleurs, l'architecture des immeubles, les formes différentes des arbres... Prendre le temps et prendre plaisir à goûter, à déguster nos boissons et nos mets favoris. Prendre le temps de sourire au passant qui croise notre route, prendre le temps, au cours d'une journée, d'apprécier ces «petits riens», mais combien «pleins»! Et nourrissants pour notre bien-être.

«Dans la rosée des petites choses, le cœur trouve son matin et se rafraîchit[7].»

PISTES DE RÉFLEXION

Les cinq sens

- Et si vous preniez le temps de prendre conscience de l'utilisation que vous faites de vos sens. Comment vous aident-ils dans la reconnaissance de ce que vous vivez?
- Choisissez un temps qui vous permettra d'explorer vos façons de sentir et de réagir à l'information captée par chacun de vos sens. Ce temps doit être suffisamment long pour vous permettre de vous laisser aller à l'exploration. Vous aurez l'esprit libre de tout souci afin de vous permettre de prendre plaisir à cette découverte.
- Allez dans un endroit que vous aimez bien, un endroit animé, un marché public par exemple. Un endroit offrant beaucoup de possibilités pour l'exploration de vos cinq sens.

☺ **La vue –** Prenez le temps de regarder visages, expressions, architecture, formes et couleurs. Tentez de percevoir votre façon de voir, comment cela s'imprime en vous.

☺ **L'odorat –** Sentez différentes odeurs: épices, parfums, draps fraîchement lavés, pain chaud, café, livre neuf, foin coupé, odeurs de la forêt après la pluie...

☺ **L'ouïe –** Captez différents sons: tons de voix, rires, bruits environnants. Allez dans un magasin de musique pour y écouter plusieurs styles de musique.

☺ **Le toucher –** Touchez différentes textures: peau, cuir, satin, bois, objets rugueux, doux. Ressentez les caresses, les « bisous » des êtres chers, celles du vent, de l'eau.

⇨

☺ **Le goût** – Offrez-vous un de vos mets favoris et voyez comment vous prenez le temps de le savourer. Est-ce croquant, onctueux? Ressentez-vous du réconfort, du plaisir?

Cet exercice aide grandement à prendre conscience de l'utilisation que vous faites de vos sens et comment ceux-ci vous aident à vous adapter à votre environnement.

Une présence à nous, à nous ouvrir à ce qui est, au-dedans de nous et à l'extérieur de nous, notre environnement physique et humain. La pleine conscience du moment présent.

L'interprétation/ le jugement

Le deuxième obstacle influençant de beaucoup notre bien-être intérieur est celui du jugement et de l'interprétation que nous faisons de nos actions et de nos décisions. Il va de soi que cette attitude est en lien direct avec notre discours intérieur et l'estime que nous avons de nous-mêmes. L'interprétation de ce que nous faisons et pensons est teintée de la valeur que nous nous donnons; alors nous avons tendance à nous juger très sévèrement si notre estime de nous-mêmes est quelque peu faible.

Ce qui nous importe ici, c'est de mentionner que notre jugement et l'interprétation que nous faisons par rapport à nos comportements ou par rapport à des situations vont définitivement avoir un

impact sur notre climat intérieur, notre bien-être ou notre mal-être.

Jean passe une série de tests médicaux lors de son bilan annuel de santé. Ces tests sont ceux passés normalement lors d'un tel bilan. Mais voilà que Jean anticipe le pire.

«Peut-être que mon médecin me cache quelque chose. Il croît peut-être que je souffre d'une maladie.»

Dès lors, il devient nerveux, anxieux. Et il le demeurera jusqu'aux résultats. Il crée cet état anxieux en anticipant une maladie alors qu'il n'y a aucune indication de cette possibilité.

Linda, quant à elle, est souvent «dans tous ses états». Lorsqu'elle reçoit des invités pour un repas, lorsqu'elle remet à son patron le rapport qu'il lui a demandé, lorsque son conjoint lui demande un entretien... C'est qu'elle se demande d'être parfaite, tout le temps. Elle anticipe «toujours» une insatisfaction de la part des autres. En cela, elle se juge elle-même et interprète les comportements d'autrui en fonction du peu de valeur qu'elle se donne. Cette anticipation du pire, basée sur une faible estime d'elle-même, crée un mouvement de crainte et d'anxiété quasi permanent à l'intérieur d'elle. Son processus intérieur devient difficile à vivre.

Anticipation et retour vers le passé, interprétation et jugement envers nous-mêmes. Nous donnons une teinte à ce que nous vivons. Tout à fait humain que de vouloir donner un sens à notre vie.

C'est la façon par laquelle nous donnons un sens à notre vie qui fait toute la différence. C'est nous qui créons notre climat

intérieur. Nous sommes les architectes de notre façon d'être.

Porter un regard juste et équitable sur nous. Une vision honnête de ce qui est... de ce que nous sommes.

Ce qui nous amène à parler de l'importance de l'ouverture à soi. À qui nous sommes. L'importance de ne pas nous raconter des histoires. Ou, plutôt, d'être bien conscients des histoires que nous nous racontons, mais aussi et surtout d'être au courant des «vraies affaires». Nos blessures... telles quelles. Ce que nous ressentons devant telle situation. Notre vulnérabilité. À quels moments, dans quelles circonstances?

Ouverture à soi

Ouverture à soi. À nous. Cela demande une franchise envers nous-mêmes de prendre en considération toutes les facettes de notre être, même celles que nous aimons moins ou pas du tout. Cela demande de l'humilité, surtout relativement à ce dont nous sommes moins fiers. Cela demande tout ça et plus encore. Ouverture à soi.

L'ouverture à soi demande beaucoup, mais elle permet la découverte de notre monde intérieur et, en cela, elle est d'une richesse incroyable.

Être au courant de nos façons d'être et de faire, être au courant de nos émotions, de nos sensations, nous apporte une plus grande capacité d'action et une «prise» sur ce que nous vivons.

La capacité de saisir ce qui est, en dedans, nous permet d'aller davantage vers une congruence entre ce qui est, en dedans de nous, et ce que nous projetons et vivons, à l'extérieur de nous, dans notre réalité. Soit dans notre vie de tous les jours.

L'ouverture à soi nous permet de nous observer. Prendre le temps d'observer ce qui nous anime, nous habite, nous distingue comme individus. L'ouverture à soi permet l'observation de soi.

~ ~

Observation de soi neutre

L'observation de soi nous fait prendre conscience de ce qui nous habite et nous facilite ainsi la propension à nous diriger vers ce qui est bon pour nous. Encore faut-il bien identifier ce qui est réellement bon pour nous. Il y a véritablement un travail à faire quant à la reconnaissance de ce qui nous appartient en propre, c'est-à-dire nos façons d'être et de faire à nous versus celles s'étant développées en lien et en réaction à notre blessure initiale.

Il est très important que cette observation de soi soit neutre, c'est-à-dire sans jugement.

OBSERVATION DE SOI NEUTRE. Comme si nous étions dans les gradins d'un stade et que nous nous voyions agir sur le terrain. Comme si nous étions à observer une personne, mais cette personne, c'est nous.

Ouverture à soi, observation de soi neutre. Conditions *sine qua non* pour bien identifier notre processus intérieur. Conditions essentielles si nous voulons nous réaliser, nous épanouir encore plus.

En plus de ces conditions essentielles à la connaissance approfondie de soi, trois étapes nous apparaissent fondamentales pour y arriver et sont nécessaires dans le processus de transformation intérieure: reconnaître, accepter, intégrer ce qui est.

TROIS ÉTAPES FONDAMENTALES: RECONNAISSANCE, ACCEPTATION ET INTÉGRATION

Reconnaissance

D'abord, bien reconnaître ce qui existe en nous. Cela demande un temps d'arrêt, surtout au début, afin de développer cette capacité à entrer en contact avec nous et faire la distinction entre nos pensées, nos émotions et nos sensations. Reconnaître aussi nos ressources, nos forces et nos vulnérabilités. Notre propension à nous laisser être versus nos «freins intérieurs», constitués de blessures et de doutes.

Se sentir suffisamment en sécurité pour amorcer cette descente en soi. Pour mieux nous approprier qui nous sommes.

Cette première étape permet une identification et une constatation de ce qui est, en dedans. Et il va de soi qu'étant en mouvement constant, notre processus intérieur continue à vivre et à se transformer en fonction de notre vécu et de nos expériences. Cela demande donc de faire nôtre cette reconnaissance afin de continuer à l'utiliser dans notre volonté d'être en harmonie avec nous-mêmes. C'est comme si nous développions cette capacité de nous tenir au courant de ce que nous vivons. Toujours à l'intérieur de nous.

Nous pouvons en rester à cette première étape. Si cela est notre choix, cela veut dire que nous sommes au courant de ce qui nous habite. Sans plus.

La deuxième étape est tout à fait cruciale dans notre cheminement intérieur. L'acceptation. Vraiment accepter ce que nous reconnaissons et découvrons en nous.

Acceptation

Même si cela ne nous plaît pas. Il n'est pas toujours facile de nous accepter, d'accepter des «recoins» de nous que souvent nous préférons ne pas voir. Ne pas ressentir.

> «Ne me dites pas que j'ai à accepter ce qui me fait mal en dedans! Il n'en est pas question! Cela veut dire que j'abandonne, que je m'avoue vaincue et que je n'aurai plus le contrôle de ce qui se passe en dedans.»

C'est ce que Suzanne me disait, avant de choisir de faire le «grand tour du propriétaire» en dedans. Avant de décider de faire le grand ménage. De faire le tour de toutes les pièces de sa maison intérieure, sachant que certaines étaient poussiéreuses, que d'autres étaient fermées depuis longtemps, et en en connaissant plusieurs autres assez bien. Voici ce qu'elle me confiait alors:

> «Je viens d'avoir quarante ans. Les enfants sont grands et n'auront plus besoin de moi bientôt. Une très bonne amie est décédée au printemps dernier et cela m'a ébranlée. Ma relation de couple est stable et correcte, sans plus. Je ne

> ressens plus la même passion ni le même amour pour mon conjoint. C'est la même chose pour mon travail: je n'ai plus trop d'intérêt. Bref, il me semble que je suis rendue à une croisée des chemins et que je veux prendre le temps de bien me comprendre. Je ne suis plus trop sûre de ce que je veux; j'ai l'impression qu'il y a une partie de moi qui ne vit pas. Et la vie passe vite, je veux profiter de ce temps qui me reste.»

Au cours de son travail d'identification de qui elle est, de la reconnaissance de ses besoins, de ses limites, de ses désirs et de ses rêves, Suzanne a senti remonter des souvenirs remplis d'émotion. Elle a senti une boule dans sa gorge et un serrement au niveau du thorax à l'évocation de son passage à l'école primaire et à la résurgence d'autres souvenirs pénibles.

> «Mon Dieu! Je ne m'attendais absolument pas à revivre ça! Cela m'a tellement blessée! Les filles de ma classe me bousculaient et me traitaient de cure-dent, gros nez et face de rat. Elles riaient de moi. Je restais toute seule dans mon coin. J'ai eu tellement mal!»

Elle pleure à l'évocation de ce souvenir. Une blessure a refait surface: celle d'avoir été la risée de la classe, de s'être sentie seule et rejetée. Le sentiment d'avoir peu de place pour être. Comme dans sa famille où elle était la neuvième de onze enfants. Pas beaucoup de place non plus. Sa perception en a été une de rejet. Blessure initiale.

Elle avait peur. Tout au long du processus psychothérapeutique, elle avait peur de revivre ses blessures. Peur, en partant de loin, de la blessure initiale, et aussi, en cours de route, de reprendre contact avec celles qui y étaient reliées, avec le même enjeu.

Peur de souffrir, d'être tout à fait bouleversée. D'où sa résistance à accepter ce vécu profondément enfoui en elle. Peur d'en être envahie si elle acceptait vraiment ses expériences de vie douloureuses et, en même temps, de perdre le contrôle de ce qui se passait à l'intérieur d'elle.

C'est souvent à ce moment que s'installe ce mouvement de lutte à l'intérieur de soi, de résistance. Comme si le fait de ne pas être en contact avec cette blessure, souvent depuis longtemps, lui donnait un air de «mystérieuse et énigmatique partie de nous» qui va sûrement «faire mal». C'est faire le chemin inverse à ce que nous avons fait lors du développement des moyens de protection mis en place au moment de cette blessure. C'est aller au-delà, cette fois-ci, de ces protections pour arriver à prendre conscience de ce qui est, de ce que nous avons «poussé» dans le fond.

L'intensité de la résistance est en fonction de la perception que nous avons de l'intensité de la souffrance.

«Il y a de quoi vouloir résister! Je n'ai pas dû enfouir ça pour rien! Cela a dû faire mal, alors je ne suis pas trop sûre de ce que je vais y trouver. J'ai un peu peur!»

Difficile de ne pas nous laisser impressionner par la force et l'intensité de cette lutte. De ce que nous pressentons de cette blessure.

Difficile d'aller vers l'inconnu. Inquiétante, l'impression d'aller retrouver une partie de nous blessée, et que nous ne savons trop laquelle. Nous ressentons juste une peur de souffrir, d'être envahis par une souffrance. Alors, c'est comme si nous sortions nos gants de boxe, prêts à frapper au moindre mouvement de douleur. Prêts à faire face à ce que nous sentons être un ennemi.

Et si nous faisions confiance à notre capacité de prendre conscience de ce qui vit depuis longtemps en dedans? Et si nous décidions de nous familiariser avec cet inconnu, de l'apprivoiser? Apprivoiser la peur qui peut nous habiter. Comme nous le ferions avec un animal apeuré. Soit en prendre soin, s'en approcher doucement, avec beaucoup de bienveillance. Et accepter que cette blessure fasse partie de nous maintenant, à ce moment. Accepter aussi que nous l'avons remisée lorsque nous l'avons vécue. Accepter que nous avons fait de notre mieux à ce moment-là, avec les connaissances et les ressources que nous avions.

En acceptant d'entrer en contact avec cette blessure, cette souffrance, d'abord et avant tout, cela nous permet plutôt d'atteindre une certaine libération émotionnelle. Nous libérer de ce qui fait mal intimement, de ce qui est là depuis longtemps, de ce qui a façonné notre estime de soi et développé nos stratégies relationnelles en espérant ainsi nous protéger de cette même source de souffrance... Ne plus revivre ça.

C'est que lors de l'expérience de cette blessure, le réflexe de Suzanne a été de vouloir l'éloigner de sa conscience parce que c'était trop souffrant. Mais tout ce temps-là, cette blessure «agissait» autrement: elle teintait certaines de ses façons d'être en lien avec autrui. Comme s'il y avait à l'intérieur d'elle-même la réminiscence de ce mal qu'elle avait ressenti. Et cette blessure restait en place et occupait un espace en dedans. En cela, elle était réellement présente.

Ce qui fait le plus mal n'est peut-être pas tant la blessure comme telle, mais bien notre façon de la gérer.

En ne voulant pas y faire face et l'accepter, il y a très souvent tout un mouvement à l'intérieur qui se manifeste : celui de se «crisper» en dedans, de se «tendre comme un arc». Un mouvement de résistance et de lutte, de rejet de cette blessure.

Par la résistance ou le rejet, nous augmentons de cette façon notre mal-être. Ce n'est pas la blessure à ce moment qui fait le plus mal. C'est nous qui créons encore plus cette souffrance, par cette lutte et cette non-acceptation de ce qui est.

Cette lutte intérieure, ce mouvement instauré pour nous protéger, en fait, maintient la blessure en place et lui donne encore plus de vie et de force. C'est comme si notre lutte intensifiait le poids de la blessure.

Suzanne a compris, et surtout expérimenté que, plus elle résistait et se débattait avec cette blessure remisée, plus elle souffrait.

En ne voulant pas accepter ce qui est, c'est comme si une partie de nous, celle blessée et faite de cette expérience, ne pouvait vivre, ne pouvait s'exprimer. C'est comme si nous condamnions cette partie de nous. Nous ne pouvons nous défaire d'une partie de nous... nous ne pouvons nous en «débarrasser».

Pour Suzanne, le fait d'y faire face, de l'accepter, a créé cette libération intérieure en même temps que cela lui a permis de découvrir ce qu'elle avait construit comme stratégies d'évitement et comme façons d'être découlant de cette blessure.

Cela lui a aussi permis de ressentir une force intérieure. Faire face à ce qui est douloureux en dedans et l'accepter, c'est entreprendre une démarche importante. C'est elle qui a fait ça! C'est elle qui «se tient debout en dedans». Cela exprime une force de vivre et une capacité de «gérer ce qui se passe». Ce n'est pas rien!

Suzanne, en plus de se libérer de la charge émotionnelle reliée à sa blessure, a nourri son estime de soi en se voyant capable de calmer «son intérieur», de transformer le processus de lutte qui était présent.

Suzanne avait peur d'accepter, car, pour elle, cela signifiait provoquer un état de résignation et d'abandon. Elle a plutôt fait l'expérience d'une force intérieure inconnue jusque-là, et du sentiment «d'être aux commandes» de ce qu'elle vivait, d'être celle ayant le pouvoir d'améliorer son état d'être et, conséquemment, sa vie.

L'acceptation de ce qui est, l'acceptation de notre processus intérieur, amène une libération de ce qui fait mal, que ce mal provienne de la blessure ou de notre façon de la combattre.

L'acceptation de ce qui est permet de ce fait un meilleur contact avec ce que nous sommes, de ce que nous avons de ressources et d'adaptation à l'intérieur de nous. Comme si notre attention et notre énergie, n'étant plus accaparées par la blessure et la lutte souvent présente, peuvent se tourner vers tout ce que nous sommes en dehors de cette blessure et de cette lutte.

L'acceptation permet le relâchement d'une tension permettant une meilleure vision de ce qui est.

Que ce soit, comme nous l'avons vu, dans l'expérience de Jacinthe qui avait de la difficulté à accepter sa dépression, ou Suzanne ayant de la difficulté à vraiment accepter la blessure vécue. Dans les deux cas, le processus de l'acceptation est le même et permet suffisamment de libération et de bien-être pour permettre de travailler, de prendre soin de l'état dépressif dans le cas de Jacinthe et de la blessure et ses conséquences dans le cas de Suzanne.

L'acceptation de ce qui est, c'est la route de la résilience. L'acceptation est la route vers un mieux-être et celle qui nous offre la possibilité de développer une meilleure estime de nous-mêmes.

Accepter ce qui est versus lutter avec ce qui est. Accepter d'avancer et de cheminer versus résister au changement. Accepter nos expériences versus les renier.

Accepter : une étape majeure dans le processus de transformation intérieure. Dans le processus de nous réapproprier l'ensemble de nos expériences de vie, blessure initiale comprise.

Nous avons vu que cette blessure initiale crée tout un processus parallèle à ce que nous sommes sans cette blessure. Qu'elle crée des façons d'être, de penser et d'agir en réponse à celle-ci.

L'acceptation permet la résolution de ce processus créé, en ce sens qu'il n'a plus de raison d'être, principalement celle de protéger notre intérieur de toute souffrance, du moins celle reliée à la blessure initiale.

Ce «pouvoir», celui de nous occuper de nous lorsque nous avons mal, celui de bien identifier ce qui est bon pour notre cheminement, celui de faire des choix appropriés pour notre bien-être, ce pouvoir est maintenant «entre nos mains» et non entre les mains de la blessure.

PISTES DE RÉFLEXION

Acceptation de ce que je vis

Lorsque vous prenez le temps de réfléchir au déroulement de votre vie jusqu'à maintenant, vous sentez-vous en paix avec les expériences de vie, les différents liens affectifs vécus, ceux inscrits à l'intérieur de vous?

Le fait d'être allé vers l'acceptation nous permet de prendre conscience de ce «pouvoir», cette capacité de résoudre ce qui est en dedans de nous, surtout lorsque nous avons mal. Attention! Ici, pouvoir est utilisé dans le sens d'une capacité à «nous prendre» avec ce que nous vivons et à nous amener vers un mieux-être; ici, le pouvoir est synonyme de capacité et de force intérieure et non d'une forme de domination.

Ainsi, il y a toute une énergie qui est libérée et qui permet l'expression de la blessure en même temps que prend place une capacité d'action relativement à ce que nous vivons à l'intérieur de nous. Nous prenons conscience, quelque part, que nous sommes «les maîtres à bord». Nous prenons conscience de l'influence et de l'impact que nous avons sur notre processus intérieur. Nous prenons conscience que nous avons ce pouvoir de nous rendre bien intérieurement. Plus que bien. Très bien. Heureux.

Intégration

Cette acceptation, en permettant une prise de conscience de notre pouvoir d'action, va effectivement générer souvent une série de prises d'actions, d'abord intérieures, telles que nous laisser vivre ce qui est, nous approprier nos ressources (discernement, altruisme...) et ensuite extérieures. Nous choisissons, à ce moment, de nous diriger vers des sources affectives nourrissantes et des choix de vie plus en accord avec nos besoins réels et nos capacités réelles. Des choix éclairés et des actions non reliées aux besoins et capacités qui étaient présents en raison de la non-résolution de la blessure.

Ces prises d'actions font en quelque sorte partie de l'étape de l'intégration. Nous intégrons notre expérience intérieure, celle-ci ayant été nourrissante pour nous en ce sens qu'elle nous a permis de vivre nos mal-être. Nous en retirons le bénéfice d'un mieux-être, mais aussi d'une meilleure confiance en qui nous sommes. Nous sommes, en quelque sorte, autonomes! Capables de faire face et d'agir en fonction de notre bien-être.

Cette intégration renforce notre sentiment d'être capables de faire face; nous avons bravé une tempête, la nôtre, celle soulevée par notre résistance et notre

peur de ressentir ce qui constituait notre blessure.

Il ne faut pas penser que tout ceci se fait «miraculeusement». Que cette transformation se fait rapidement et facilement à partir du moment où nous acceptons de nous faire face et de voir ce qui se passe vraiment en nous. Cela est beaucoup plus complexe, cela demande un engagement avec nous-mêmes, et non le moindre : celui de RESSENTIR et de VIVRE ce qui nous habite. Comprendre n'est pas suffisant, ressentir pleinement est essentiel. L'engagement de reconnaître et d'accepter ce que nous portons comme bagage : nos blessures, certes, mais aussi nos tentatives d'être bien, les chemins que nous avons empruntés pour palier les manques ressentis. Cela demande une reconnaissance en profondeur de qui nous sommes.

La complexité de ce cheminement vient donc d'une part, de notre propension à nous investir dans ce dernier et, d'autre part, des traits de personnalité présents à notre naissance, ceux qui nous sont propres et qui ont un impact dans notre façon de transiger avec ce que nous vivons. Sans oublier notre environnement qui agit aussi dans notre développement. Plusieurs facteurs, propres à nous, sont donc présents et interagissent, ce qui fait que nous avons tous nos propres façons de cheminer sur la route que nous empruntons, et ce, avec les écueils et les coups de chance que cela comporte.

Aller vers soi implique toute une démarche d'authenticité. Une démarche en profondeur nécessitant la volonté de nous voir tels quels. Cela nous demande de tendre l'oreille vers nous-mêmes. Tendre l'oreille pour écouter et entendre nos sons et nos vibrations. Cela nous invite à porter un regard tourné vers l'intérieur et à regarder l'histoire de notre vie comme si nous la projetions sur un grand écran, tel un film.

ÊTRE – RESSENTIR QUI NOUS SOMMES... VRAIMENT – SANS JUGEMENT

C'est à partir d'une acceptation réelle de ce que nous avons vécu que nous pouvons agir afin de découvrir les différents aspects de nous-mêmes. Avec l'acceptation, une phase d'exploration s'installe et permet la découverte de qui nous sommes. En route, l'exploration nous amènera à confirmer certains aspects de nous et à en démasquer d'autres ayant été mis en place en fonction de la blessure. Mais aussi l'exploration nous permettra d'identifier des aspects de nous, inconnus jusqu'à ce jour, qui se mettront en place, de même que de nouveaux aspects en accord avec qui nous sommes.

Comme si nous étions des morceaux d'un casse-tête, certains à leur place, d'autres pas et d'autres encore à leur place, mais que nous ne pouvons voir clairement. De prendre conscience de ce qui nous habite au plus profond de nous, de l'accepter avec tout ce que cela comporte de confiance et d'humilité, et de nous laisser explorer pour les voir tous et intégrer ceux correspondant vraiment à nous. Devenir l'être que nous sommes.

Avec cette intégration, la confiance en nos capacités et en nos ressources devient souvent plus forte. Nous permettre l'exploration de façons d'être et d'agir est en soi une avancée dans l'expression de nous-mêmes. Et un sentiment de pouvoir, celui de sentir réellement notre force intérieure, peut s'installer.

L'intégration de ce qui fait de nous qui nous sommes.

Ce processus ne se fera pas nécessairement de façon linéaire, les trois étapes étant bien distinctes l'une de l'autre. Il y a certes l'étape de la reconnaissance au départ. Par la suite, il y a présence d'un cycle fait de chevauchements entre des expériences d'acceptation, de mise en action, de possible résistance, d'un retour à la reconnaissance, puis l'intégration d'une partie du cheminement et ainsi de suite. En fonction des prises de conscience et de ce qui est sur notre route, notre cheminement aura des allures d'allers-retours entre ces trois étapes entrecoupées de mouvements de résistance.

Il arrive souvent qu'à différents moments de notre vie, nous ressentions cette poussée nous amenant vers une période plus intense de changement. Comme si une autre facette de nous demandait à prendre plus de place. Il arrive aussi que différents événements vécus tout au long de notre parcours suscitent des remises en question, des visites de «notre demeure intérieure». Et, à ce moment, ce processus de changement, ce cheminement prennent encore plus de place.

RECONNAÎTRE – ACCEPTER – INTÉGRER

Partir d'où nous sommes, en dedans. Ne pas nous demander d'être déjà rendus à ce que nous percevons comme étant notre plein potentiel, notre plénitude, alors que nous commençons notre visite en nous-mêmes.

Ne pas vouloir rejeter d'emblée, nous «couper» de parties de nous que nous jugeons malsaines. Mais être en mode d'écoute, d'éveil à qui nous sommes plutôt qu'en émoi et en mode de rejet ou d'évitement. C'est que ce qui nous habite a un sens et il est fort important de prendre conscience de ce sens. De ce qui fait que cela est présent.

Quatrième partie

Le comment

«Et toujours, dès que je me montrais prête à les affronter, les épreuves se sont changées en beauté.»

– Etty Hillesum

«L'émotion est moteur de changement, et la joie, son essence.»

– Olivier Lockert

« Je comprends maintenant ce qui m'a amené à choisir cette route plus ou moins appropriée à qui je suis, à mes aspirations et besoins. Je fais des liens avec ce que j'ai vécu plus jeune. MAIS QU'EST-CE QUE JE FAIS MAINTENANT? C'EST QUOI LE COMMENT?»

Qu'est-ce que je fais maintenant? Cela m'est fréquemment demandé. Et ce n'est pas aisé d'y répondre puisque le travail sur soi, le cheminement intérieur, n'est pas statique, n'est pas que rationnel. Il est fait de perceptions, de sensations, d'émotions, de pensées. Il vit, il est en mouvement constant, il change.

Le processus de changement, le cheminement intérieur, se vit. Et, ce faisant, amène le changement. Oui, il y a tout un travail de reconnaissance de ce qui est, de notre blessure initiale et des autres s'y rattachant. Reconnaissance de nos façons de nous laisser être, de nos façons de nous protéger. Reconnaissance de nos ressources, de nos capacités. Il y a tout un travail de prises de conscience qui aide à l'identification de nos façons d'être plutôt malsaines, nous aidant à comprendre ce qui nous a amenés sur ces routes parallèles.

Le plus important, c'est que nous RESSENTIONS ce travail intérieur; c'est cela qui amène le changement.

Si nous entreprenons de mieux nous connaître, de vouloir résoudre des conflits en nous et des enjeux non résolus, cela passe par le processus. Et le vécu de ce processus amène le changement. En cela, le processus est le résultat. Il nous permet de ressentir, de vivre, d'être en contact avec nos langages intérieurs, d'amener à notre conscience notre fonctionnement et de rendre plus clair ce qui est : nos zones de lumière tout autant que nos zones d'ombre. Et ce, à différents degrés et à différentes intensités.

Alors, le comment ?

• **En nous permettant** de nous approcher de nous-mêmes, de notre « mécanique intérieure », de nos rouages. En nous investissant sérieusement dans cette démarche, ce processus. En allant consulter un professionnel si nous ressentons une incompréhension importante de ce qui se passe en dedans de nous ou si nous ressentons une fragilité par rapport à ce que nous vivons.

• **En ne minimisant pas** notre vécu, nos difficultés et notre souffrance. Il m'est arrivé souvent d'entendre : « Ce n'est pas grave ce que je vis. Je me sens ridicule d'être dans tous mes états pour ça. Il y en a des pires que moi. »

Notre vécu est important. C'est le nôtre! Il est en cela tout aussi important que n'importe quel autre. Il est nôtre, il nous habite, nous appartient et fait de nous qui nous sommes. Ne pas le banaliser est une condition essentielle dans notre démarche d'acceptation et d'actualisation de soi.

• **En prenant conscience** qu'une charge émotionnelle reliée à un événement vécu peut demeurer en nous bien au-delà de l'événement et ainsi influencer les ressentis, comportements et actions d'aujourd'hui. Oui, les faits demeurent les mêmes et ne peuvent être changés; le ressenti, quant à lui, se vit et se transforme.

• **En étant bons avec nous-mêmes!** Que ce soit autant dans les bons moments que dans les moins bons. Lors de moments difficiles à vivre, nous permettre d'y faire face par étapes, en les morcelant en segments, en petits bouts. Ce qui apparaît comme une montagne, nous permettre de la percevoir et de la gravir par paliers. Et nous faire confiance dans la résolution de ces moments exigeants et difficiles.

• **En étant bien ancrés dans notre présent**, surtout dans des moments de grande vulnérabilité. Dans ces moments, identifier nos ressources, ce dont nous avons besoin pour y faire face. Ne pas nous laisser envahir par cette vulnérabilité, mais accepter cet état et utiliser les ressources identifiées pour mieux vivre ce passage. Ces ressources sont tout d'abord intrinsèques à nous: discours intérieur, douceur... Elles sont aussi extérieures à nous: des personnes significatives dans notre entourage, des professionnels. Dans ces moments difficiles, avoir recours à des actions concrètes, terre à terre, telles que des emplettes à l'épicerie, pratiquer un sport... pour nous aider à nous ressourcer, à prendre contact avec nos ressources et à prendre une distance quant à notre vulnérabilité, la situation éprouvante que nous vivons.

• **En étant capables de reconnaître** également nos limites, nos difficultés qui font partie de nous et d'en prendre conscience; cela nous permet d'en tenir compte et de nous en faire des alliées plutôt que des ennemis. Certes, cette reconnaissance peut nous demander de l'humilité; par contre, la mise à profit de ces limites peut nous aider grandement dans notre mieux-être. Nous n'avons pas à nous demander d'être parfaits, mais bien de nous permettre d'être qui nous sommes, et de transformer ces limites en forces.

• **En étant conscients** qu'il y a, dans cette transformation intérieure, des périodes où nous avons l'impression de ne pas avancer, voire de «tourner en rond». Ces périodes sont souvent la résultante d'une résistance à l'intérieur de nous; elles peuvent être un signe d'un besoin d'intégration avant d'aller plus avant. Et nous pouvons aussi avoir l'impression d'un recul, de «revenir comme avant», pouvant aussi être l'expression d'une résistance et d'une crainte, d'une peur: celle de laisser aller une façon d'être, une croyance, celle de changer.

Quel que soit notre ressenti lors de ce processus, nous y référer et nous permettre de le vivre. Pour mieux cheminer.

• **En n'oubliant pas** que, lors du cheminement, nous aurons tendance, souvent de façon instinctive, à fonctionner de nouveau avec nos façons d'être et nos comportements reliés à la blessure. Il est tout à fait normal d'y retourner, cela nous habite depuis souvent de nombreuses années et nous y sommes habitués. Aussi, cette transformation ne se fait pas du jour au lendemain et nécessite un travail sur soi et des efforts. Lorsque les changements débutent en nous, il existe une fragilité d'être et, tout en bâtissant de nouvelles avenues en nous, nos anciennes routes reviennent. Nous vivons donc des «allers-retours» entre nos modes de fonctionnement «d'avant» et ceux «en construction et en devenir».

Le comment ?

Reconnaître. Accepter. Intégrer. Grâce à l'observation neutre de soi. Grâce à l'introspection. Grâce à une ouverture à ce qui est.

Reconnaître – Accepter – Intégrer

CE QUI EST :

- Nos pensées, surtout notre discours, celui relié à notre estime de soi.
- Nos émotions. Notre façon de nous permettre de les vivre ou non. Notre façon de les exprimer ou de les taire.
- Notre perception de nos émotions : les voyons-nous comme des trouble-fêtes à camoufler? Ou simplement comme l'expression de ce que nous ressentons et vivons en dedans?
- Nos sensations. Le langage de notre corps. L'expression « physique » de ce qui se vit à l'intérieur de nous. Bouffée de joie, de bonheur; ou montée d'anxiété ressentie dans une pression au thorax, des serrements à la gorge?

Reconnaître – Accepter – Intégrer

- Notre blessure initiale. Celle profondément inscrite au fond de nous. Celle ayant développé cette route parallèle qu'est le processus créé. Celle ayant contribué au développement de l'estime que nous avons de nous-mêmes.
- Les blessures subséquentes, reliées à la blessure initiale, ayant le même enjeu, la même teneur affective et émotionnelle.

Reconnaître – Accepter – Intégrer

- Nos ressources: le courage, la perspicacité, le sens de l'humour, le jugement, tout ce qui nous aide dans notre mieux-être.
- Nos écueils, nos difficultés, nos limites rencontrés dans certains aspects de notre vie. Et à certains moments de notre vie.
- Nos craintes, nos peurs... Nos aspirations. Nos rêves.

Reconnaître – Accepter – Intégrer.
Tout cela.

- En prendre conscience par notre présence à nous-mêmes dans ce que nous vivons. Par des lectures, des écritures, des discussions, des conférences. Par un travail en psychothérapie.

Et surtout, surtout, ressentir et vivre ce processus intérieur.

L'IMPORTANCE DE RESSENTIR

Faire nôtre ce processus intérieur en y portant une attention toute particulière parce qu'il est le nôtre, il est la vie à l'intérieur de nous. Il est l'expression de qui nous sommes; de ce que nous portons comme bagage. Il est fait de nos expériences de vie, de nos forces et faiblesses, de nos aspirations et valeurs, de nos besoins et désirs, de nos craintes, de notre blessure et de nos déceptions; bref, il est le moteur de notre vie. Nous laisser vivre ce processus intérieur, en prendre conscience le plus possible, nous amène à nous sentir vivants, entiers et riches de tout ce que nous sommes. Le vivre nous procure une connaissance de soi approfondie pouvant nous permettre une actualisation de soi correspondant à notre être, créant ainsi une meilleure harmonie dans notre vie et un mieux-être.

LE COMMENT DE NORMAND, JOANNE, GEORGES ET DORIS

NORMAND. Nous avons vu précédemment la propension de Normand à être actif en même temps qu'il éprouve un profond malaise d'être. Nous avons vu comment il a tenté de vaincre ce malaise en redoublant d'efforts pour analyser et comprendre ce qu'il vit. Nous avons vu comment, avec tous ses efforts, il a obtenu peu de résultats, sauf celui de se sentir aux prises avec encore plus d'anxiété et un sentiment de mal-être plus profond.

Son motif de consultation était le suivant: «Je ne veux plus vivre de l'anxiété et me sentir déprimé. Je veux m'en débarrasser et me sentir bien.»

Reconnaître le mécanisme de l'anxiété et l'impact à l'intérieur de lui, reconnaître sa façon de penser et de «réagir pour en venir à bout» a été la première étape de son cheminement. Il a ainsi pris conscience de la lutte qu'il engageait avec son anxiété plutôt que d'accepter sa présence afin de pouvoir la désamorcer.

Il est parti de ce qui était très présent, l'anxiété, de ce qui l'amenait à être plus ou moins fonctionnel dans son quotidien, car beaucoup de son énergie allait dans cette lutte.

Ensuite, n'étant plus aux prises avec cette anxiété, il a pu commencer à prendre conscience de ce qui l'amenait à vivre «avec ce besoin d'être dans sa tête et de tout comprendre», à être «dans le faire» presque tout le temps.

Reconnaissance et prise de conscience de son fonctionnement, de l'utilisation de ce langage que sont ses pensées. Et reconnaissance et prise de conscience de l'impact de cette façon d'être sur son bien-être émotionnel. Normand a compris certains bienfaits de son fonctionnement habituel, mais aussi de ses aspects néfastes pour lui.

Il a pris conscience de sa difficulté à reconnaître ses émotions et encore plus à les vivre. Passage difficile puisqu'il ne savait pas comment les vivre, les laisser être. Ce qui, dans un sens, est simple: vivre ses émotions, mais dela devenait compliqué pour lui puisqu'un sentiment d'incompréhension et d'impuissance prenait place à l'éveil et à la prise de conscience de celles-ci.

Il avait à vivre ses émotions, ce qu'il y a en dedans, sans nécessairement passer par le sentiment de contrôle que lui procuraient ses pensées.

Normand a lutté et résisté dans ce processus d'appropriation de son monde émotif. Et ce, jusqu'à ce qu'il accepte la présence de ce sentiment de non-contrôle et ainsi qu'il arrive à ressentir.

Laisser vivre son monde émotif, le laisser prendre vie, lui a permis tranquillement de faire l'introspection de ce qu'il nommait comme un malaise, un sentiment d'être touché au plus profond de lui sans pouvoir nommer ce qui était.

Dans cette introspection, en étant ouvert à ce qui était, les souvenirs ont commencé à prendre place, doucement, tout doucement... souvenirs de bons moments, de moments de tendresse vécus.

Souvenir aussi de sa perception d'avoir été mis de côté lors de la naissance de sa sœur plus jeune de deux ans. À ce moment, Normand a ressenti cette souffrance; toutefois, avec son travail en thérapie, il s'est senti suffisamment en sécurité avec lui-même pour faire face à cette souffrance et la vivre au lieu de la retourner dans le coffre. Il s'en est suivi une libération et l'identification d'un lien important avec sa façon plutôt cérébrale de se relier aux autres.

À partir de ces prises de conscience, une certaine libération intérieure a eu lieu, permettant ainsi le développement de sa capacité à ressentir, entraînant à son tour l'augmentation de sa confiance en lui-même.

Normand a pris conscience de ce qu'il avait mis en place en réaction à la blessure initiale: entre autres, agir quasi strictement au niveau de ses pensées et avoir donné presque toute la place à sa tête dans l'appropriation de sa vie.

Peu à peu, il a fait l'apprentissage de se laisser vivre ses émotions, et a appris à s'investir plus profondément dans ses relations intimes. Il a aussi appris à faire confiance à son ressenti et, à partir de celui-ci, puiser des informations quant aux actions à prendre pour être mieux.

Normand, au terme de son cheminement en psychothérapie, se sentait confiant, «plus entier comme personne». Le mal-être exprimé au début du travail ainsi que l'anxiété n'étaient plus présents. De plus, il a pris conscience des multiples ressources en lui. Ressources auxquelles il peut se référer et qu'il peut utiliser tout au long de la route qu'il lui reste à parcourir.

Son COMMENT? Son implication dans un cheminement sérieux et profond quant à la reconnaissance de SON processus intérieur, avec les rouages qui lui appartiennent en propre. Il y a mis temps, énergie et volonté. Il y a vécu des moments de doute, de peur et de résistance. Il y a vécu des moments de grâce, principalement lorsqu'il s'est permis d'ouvrir son coffre et de se laisser vivre les émotions remisées là. Une libération s'en est suivie, mais aussi et surtout, il y a reconnu le sens de son existence depuis le début de «son histoire» jusqu'à maintenant.

Pas de recette miracle, mais ressentir et vivre ce processus.

JOANNE, quant à elle, a eu à vivre un long processus de deuil relié aux personnes chères décédées. Elle a pleuré, pleuré, pleuré. Elle a vécu colère, marchandage, déni et choc par rapport à tous ces départs. Ces vides créés dans sa vie, dans la vie de tous les jours et en dedans d'elle. Perdre amène à vivre un deuil.

Joanne s'est questionnée sur la vie, le sens de la vie, le sens de SA vie. Elle a, à ce moment, pris conscience des détours qu'elle avait faits pour ne pas souffrir. À cette prise de conscience s'est greffée la prise de conscience de ce qu'elle portait en dedans d'elle depuis longtemps, soit sa perception de ne pas avoir été aimée et toutes ses façons d'être construites à partir de cette blessure afin de se sentir aimée. Elle a pleuré et tourné sa colère contre elle, parce que fâchée de s'être en quelque sorte infligé de vivre des situations et relations non nourrissantes pour elle.

Elle a dû apprendre à s'aimer, vraiment. Et à prendre sa place, d'abord intérieurement en reconnaissant et acceptant ce qu'elle vit, puis dans sa vie, en prenant des actions et des décisions en fonction de ses besoins et de ses limites. Et cela, en s'aimant suffisamment pour se respecter tout en continuant à respecter autrui.

Elle a vécu et ressenti, tout comme Normand, son processus intérieur. Elle a appris à le lire, à lui faire confiance et à l'accepter pour se sentir elle, simplement.

Un processus qui fut long pour elle puisqu'elle était aux prises avec plusieurs deuils, dont certains subits, qui ont provoqué comme «un tremblement de terre» en elle. D'une certaine façon, nous pouvons dire qu'elle a été confrontée de façon subite à la réalité de ses pertes en même temps qu'ébranlée dans ce qu'il y avait de plus profond en elle.

Aujourd'hui, Joanne vit beaucoup plus sa vie en affirmant ce qu'elle aime, ce qu'elle veut et ne veut pas. Elle a confiance en elle-même et aime qui elle est. Elle s'investit le plus possible dans ce qu'elle reconnaît être bon pour elle et ne se «fait plus violence» comme avant en acceptant des situations non appropriées à qui elle est et nuisibles pour son bien-être.

GEORGES et DORIS ont aussi choisi de vivre ce processus et d'y découvrir leur propre bagage à eux, leur histoire, le sens de leur vie. Ils ont regardé, reconnu et ressenti ce qu'il y avait en eux; ils ont, en exprimant les émotions s'y trouvant depuis longtemps, fait face à leur blessure et ont pu développer des façons d'être et d'agir correspondant à qui ils sont vraiment.

Par leur implication envers eux-mêmes, en psychothérapie. Pour Georges, il y a eu beaucoup de lectures, surtout au début de son processus: des livres de psychologie, sur le sens de la vie, le lâcher-prise, l'expression de soi, la pleine conscience et des livres sur la méditation.

Doris, de son côté s'exprimait et se vivait beaucoup à travers des expériences de visualisation, celles-ci lui permettant de laisser vivre sensations et émotions par les images et les scènes qui se présentaient à elle.

Quelle que soit notre façon de nous investir dans la recherche et l'expression de nous-mêmes, la pleine conscience et l'actualisation de soi passent nécessairement par ressentir et vivre notre processus intérieur.

Cinquième partie

Et si c'était ça, le bonheur, être nous-mêmes?

« Qu'est-ce que le bonheur sinon l'accord vrai entre un homme et l'existence qu'il mène? »

– Albert Camus

« La vie heureuse est celle qui est en accord avec sa propre nature. »

– Sénèque

« Le bonheur n'est pas une chose toute faite; il découle de tes propres actions. »

– Dalaï Lama

« La grande affaire et la seule qu'on doive avoir, c'est de vivre heureux. »

– Voltaire

Être nous-mêmes, avec tout ce qui fait de nous ce que nous sommes maintenant. Avec l'appropriation de nos expériences, de notre vécu émotionnel.

Ressentir une fluidité à l'intérieur de nous et une unité dans nos façons de penser, de ressentir et d'agir. Ressentir ce bonheur, celui d'être et de choisir cette approche à la vie, celle d'assumer ce que nous vivons à l'intérieur de nous, sans jugement, sans nous raconter des histoires.

Nous faire face, de façon honnête et respectueuse, pour mieux nous dire, pour mieux nous actualiser et nous accomplir.

Le bonheur? Inatteignable? Au contraire, pour qui prend conscience qu'il existe et qu'il vit à partir du moment où nous le laissons être et vivre en nous. Comment? Comme nous l'avons vu, la souffrance est et vit dans un sentiment de manque, d'un vide en nous. Ce sentiment découle d'une blessure affective. Prendre soin de cette blessure, la faire nôtre pour la laisser vivre, s'exprimer et ainsi aller au-delà de celle-ci. Nous permettre de vivre ce qui est en nous; ce qui amène cette fluidité de vie; ce qui fait ressentir ce bonheur d'être. Juste être qui nous sommes, là, maintenant, simplement.

> «Tout l'art d'être heureux, c'est d'accepter son manque, de l'aimer et enfin d'apprendre à s'en servir[8].»

La condition essentielle au bonheur passe par la reconnaissance et l'acceptation de ce qui est en mouvance à l'intérieur de nous; ce qui nous habite, quelle qu'en soit la nature: manque, tristesse, frustration, colère, joie. Nous permettons ainsi la résolution de ce qui nous habite, et le mouvement de vie continue.

Reconnaissance et acceptation de ce qui est

TOUT est en mouvement, et du moment où nous acceptons cette réalité, nous laissons place au bonheur par le fait que nous parvenons à ne pas installer et fixer en dedans une façon d'être. «VOULOIR FIXER» une façon d'être en nous contribue à développer une rigidité intérieure et ainsi à nous éloigner de nous-mêmes et, par conséquent, du bonheur d'être. Cela ne peut que cristalliser un mal-être.

Aussi, nous laisser envahir par la souffrance, par l'inquiétude, par la colère, par tout état inconfortable, provoque un déséquilibre à l'intérieur de nous et, de ce fait, provoque aussi un éloignement avec tout ce qui est ressource et énergie de vie en nous. Le bonheur ne peut être.

Qu'il y ait rigidité ou envahissement d'un état d'être en nous, ces conditions ne permettent pas l'ouverture à soi et à la confiance en soi et ne peuvent créer un sentiment de plénitude et un bonheur d'être.

Le bonheur est aussi créé par l'acceptation de ce qui se présente à nous comme événement de vie. Certes, la vie étant faite de moments heureux, mais aussi de moments plus douloureux et de pertes de toutes sortes, elle nous amènera quelquefois dans nos «retranchements», dans notre vulnérabilité.

Il est difficile alors de nous sentir heureux. Par contre, arriver à l'acceptation de ces événements nous aidera, d'une certaine façon, à adoucir nos peines, nos souffrances et à nous sentir moins vulnérables.

Le bonheur est donc en lien direct avec la reconnaissance, l'acceptation et l'intégration de ce qui est en nous, de ce que nous sommes. Le bonheur est cet état d'être lorsque nous nous sentons en harmonie avec nous-mêmes.

Le bonheur, c'est autant accepter le mouvement, le changement, intérieur et extérieur à nous, que faire confiance à nos ressources et à nos capacités pour faire face à ce qui se présente dans notre vie, à ce qui est.

Le bonheur est fait d'acceptation de ce qui est. D'acceptation de la fluidité de la vie.

Le bonheur est fait de notre réelle présence à nous et à notre monde environnant. Nous le construisons, à coups de prises d'actions et de décisions. Nous en sommes responsables.

LE BONHEUR : SE SENTIR EN VIE, RESSENTIR UNE HARMONIE EN NOUS

Le bonheur, c'est se sentir en vie, sentir la vie en nous et la force en nous. Malgré les écueils... Le bonheur, c'est ressentir que nous avons en nous tout ce qu'il faut pour être heureux. Ni plus ni moins. Le bonheur, c'est de RESSENTIR une harmonie en nous.

> « Qui dit bonheur dit accord avec nous-mêmes et le monde, joie du mouvement, créativité, spontanéité...[9] »

« Profiter de tout ce que l'existence peut nous apporter et même nous enlever, voilà, à mon sens, le secret du bonheur[10]. »

« Qu'est-ce que le bonheur? Le sentiment que la force croît, qu'une résistance est surmontée[11]. »

Conclusion

« Tu connaîtras la justesse de ton chemin
à ce qu'il t'aura rendu heureux. »

– Aristote

« Tu dois devenir l'homme que tu es.
Fais ce que toi seul peux faire.
Deviens sans cesse celui que tu es,
sois le maître et le sculpteur de toi-même. »

– Friedrich Nietzche

Il est rassurant et réconfortant de prendre conscience de notre pouvoir par rapport à ce que nous vivons; surtout par rapport à ce processus intérieur, cette dynamique propre à nous et qui donne une couleur, une direction et surtout un sens à notre vie. À notre parcours. À nos états d'âme et à nos choix.

Il est rassurant de prendre conscience de notre capacité à ressentir ce qui nous habite, ce qui nous fait vibrer et nous ébranle: nos langages intérieurs que sont nos pensées, nos émotions et nos sensations.

Tout aussi réconfortant de prendre conscience de ce que nous portons comme blessure initiale, celle qui semble s'être imprimée tout au fond. D'avoir le courage de la vivre pour mieux nous en libérer et avoir accès à toutes nos ressources, toutes nos façons d'être.

Certes, cette blessure, le sens qu'elle a pour nous, selon notre perception, nous laissera une plus grande vulnérabilité pour affronter toute situation et tout événement similaires sur le plan des enjeux émotionnels. Un peu comme si elle était notre talon d'Achille. Une fois cette blessure mise à jour et vécue, nous serons plus en mesure de prendre soin de nous-mêmes dans des circonstances de vie ayant le même sens pour nous. Et également à même de choisir de nous diriger vers des situations et des actions bienfaisantes et enrichissantes pour nous.

En fait, après avoir vécu ce parcours de descente en nous pour vraiment ressentir tout ce que nous sommes, après y avoir ressenti la blessure remisée dans le coffre, après avoir saisi le sens de notre vie, après avoir saisi nos façons de nous laisser être et vivre, après avoir décelé nos capacités et nos ressources, nous ne pourrons que continuer à nous accompagner dans notre processus de vie. En prendre soin. Être qui nous sommes. Ressentir et vivre qui nous sommes.

Nous pouvons comparer notre vie à une rivière: tantôt tumultueuse, tantôt calme, faite de moments de vie actifs, intenses, transitoires, simples, calmes et profonds. Faite de moments nous semblant quelquefois impossibles à vivre, à surmonter. Et faite de moments imprévus et heureux, de moments nourrissants.

Une chose est certaine et indubitable: notre vie est riche de sens! Il n'en tient qu'à nous de la faire nôtre en nous y impliquant, c'est-à-dire en saisissant ce que nous vivons tout au fond de nous, «les vraies affaires» comme nous le disons souvent. Et, surtout, en ressentant cette vie en nous. En faisant nôtre ce processus qu'est la vie.

Puissiez-vous vous faire confiance suffisamment pour aller vers vous et vous épanouir dans tout ce que vous êtes.

NOTES

[1] Bowlby, J. *Attachement et perte*, Paris, PUF, 1978.

[2] Cyrulnik, Boris. *Le murmure des fantômes*, Paris, Éditions Odile Jacob, 2003, quatrième de couverture.

[3] Kobak, R. et Madsen, S. *Disruption and Attachment Bonds*, New York and London, Cassidy, J., Shaver, PR, Guilford Press coll. «Handbook of Attachment: Theory and Clinical Application», 2008, p. 23-47.

[4] Prior, Vivien et Glasser, Danya. *Understanding Attachment and Attachment Disorders: Theory, Evidence and Practice*, London, Jessica Kinsley Publishers, 2006, p.16.

[5] *Le Petit Larousse illustré* 2011, France, Éditions Larousse, p. 51.

[6] André, Christophe. *Méditer jour après jour*, Paris, L'Iconoclaste, 2011, p. 18.

[7] Gibran, Khalil. *Le Prophète*, Rennes, Éditions La Part Commune, 2004, p. 77.

[8] Jalenques, Étienne Dr. *La thérapie du bonheur*, Paris, Marabout/Hachette Livre, 2002, p. 91.

[9] Jalenques, Étienne Dr. *La thérapie du bonheur*, Paris, Marabout/Hachette Livre, 2002, p. 244.

[10] Jalenques, Étienne Dr. *La thérapie du bonheur*, Paris, Marabout/Hachette Livre, 2002, p. 241.

[11] Blondin, Robert. *Maudit bonheur*, Saint-Lambert, Ciné-pomme, 2011, p. 66, citation Friedrich Nietzsche.

Bibliographie

AINSWORTH, MDS et al. *Patterns of attachment,* NJ: LEA, Hillsdale, 1978.

AINSWORTH, MDS. 1985. *Attachment across the Life spam*: Bulletin of the New York Academy of Medecine, 61 (9), 792-811.

ANDRÉ, Christophe. *Méditer jour après jour,* Paris, L'Iconoclaste, 2011.

ANDRÉ, Christophe. *De l'art du bonheur,* Paris, L'Iconoclaste, 2006.

ANDRÉ, Christophe. *Vivre heureux. Psychologie du bonheur*, Paris, Éditions Odile Jacob, 2003.

ANDRÉ, C. et LELORD, F. *L'estime de soi. S'aimer pour mieux vivre avec les autres*, Paris, Éditions Odile Jacob, 1998. 2002, 2007.

BLONDIN, Robert. *Maudit bonheur,* Saint-Lambert, Ciné-pomme, 2011.

BOURBEAU, Lise. *Les cinq blessures qui empêchent d'être soi*, Montréal, Éditions E.T.C. Inc., 2013.

BOWLBY, J. *Attachment and lost. Vol. 2. Separation*, New York: Basic Books, 1980.

BOWLBY, J. *Attachement et perte, vol. 1: L'attachement*, Paris, PUF, 1978.

CYRULNIK, Boris. *Le murmure des fantômes,* Paris, Éditions Odile Jacob, 2003.

DUFOUR, Daniel. *Guérir la blessure d'abandon*, Montréal, Éditions de l'Homme, 2007.

JALENQUES, Étienne. *La thérapie du bonheur. Expressions, émotions, peurs, remise en question...* Paris, Marabout/ Hachette Livre, 2002.

MAIN, M. et SOLOMON, J. (1986) Discovery of an insecure-disorganized/disoriented attachment pattern: Procedures, findings and implications for the classification of behavior. In T.B. Brazelton and M. Yogman (Eds.) Affective Development in Infancy, 95-124. Norwood, NJ: Ablex.

TOMASELLA, Sarerio. *Le sentiment d'abandon. Se libérer du passé pour exister par soi-même*, Paris, Éditions Eyrolles, 2010.

À propos de l'auteure

CLAIRE POULIN est titulaire d'une maîtrise en psychologie obtenue à l'Université d'Ottawa en 1982. Elle est membre de l'Ordre des psychologues du Québec et de l'Association des psychologues du Québec.

Elle donne des conférences ainsi que des ateliers. Vous pouvez communiquer avec elle par téléphone, au numéro qui suit, ou par son courriel.

819-778-3966

clairep56@videotron.ca

M
MARQUIS
Québec, Canada